HUMANOS

TOM PHILLIPS

HUMANOS

Uma breve história de como f*demos com tudo

Tradução
Carolina Simmer

1ª edição

BestSeller
Rio de Janeiro | 2018

CIP-BRASIL. CATALOGAÇÃO NA PUBLICAÇÃO
SINDICATO NACIONAL DOS EDITORES DE LIVROS, RJ

Phillips, Tom
Humanos: uma breve história de como f*demos com tudo / Tom Phillips; tradução Carolina Simmer. – 1ª. ed. - Rio de Janeiro: BestSeller, 2018.

Tradução de: Humans
ISBN 978-85-465-0160-1

1. Comportamento humano - Humor, sátira, etc. I. Simmer, Carolina. II. Título.

CDD: 155.2
18-52355 CDU: 159.9.019.4

Leandra Felix da Cruz – Bibliotecária – CRB-7/6135

Texto revisado segundo o novo Acordo Ortográfico da Língua Portuguesa.

Título original
HUMANS

Publicado primeiro em 2018 por WILDFIRE e impresso por HEADLINE PUBLISHING GROUP

Imagem de miolo: Getty Images/ © Nicholas Kamm/AFP

Direitos exclusivos de publicação em língua portuguesa para o Brasil
adquiridos pela
EDITORA BEST SELLER LTDA.
Rua Argentina, 171, parte, São Cristóvão
Rio de Janeiro, RJ – 20921-380
que se reserva a propriedade literária desta tradução

Impresso no Brasil

ISBN 978-85-465-0160-1

Considerando o tema,
dedicar este livro à minha família
pode ser mal-interpretado.

Então, em vez disso, eu o dedico a todos
que já fizeram alguma merda na vida.
Vocês não estão sozinhos.

Sumário

Prólogo

O começo das merdas

Em um tempo muito, muito distante, enquanto o sol nascia do outro lado dos grandes vales fluviais e planícies da Etiópia, uma jovem macaca descansava em uma árvore.

Não sabemos o que ela pensou ou fez naquele dia. É provável que estivesse cogitando buscar algo para comer, encontrar um companheiro ou, quem sabe, estivesse analisando a árvore ao lado para ver se era melhor que a sua. Ela com certeza não fazia ideia de que os eventos daquele dia a transformariam no membro mais famoso de sua espécie — e mesmo que, de alguma maneira, desse para lhe contar isso, o conceito de fama não faria sentido algum para a nossa macaca. Ela também não sabia que estava na Etiópia, porque esses acontecimentos se deram milhões de anos antes de alguém ter a ideia fantástica de desenhar linhas em um mapa e dar às formas resultantes nomes que causariam guerras.

A macaca e sua família eram levemente diferentes dos outros símios da época: seus quadris e pernas tinham algo especial que permitia que se movessem de um jeito inédito. Eles estavam começando a descer das árvores e caminhar eretos pelas savanas: uma mudança que acabaria causando a existência de seres como eu, você e todas as pessoas neste planeta. A macaca não sabia, mas uma das histórias mais extraordinárias do mundo estava prestes a se iniciar: a grande jornada humana.

Então ela caiu da árvore e morreu.

Mais ou menos 3,2 milhões de anos depois, outro grupo de macacos — alguns tinham até doutorado — encontraria os ossos fossilizados dela. Como essa descoberta aconteceu por volta da década de 1960, e eles estavam ouvindo sem parar uma música muito popular de um grupo britânico bem famoso na época, decidiram batizá-la de Lucy. Era uma espécie completamente nova — que agora chamamos de *Australopithecus afarensis* — e foi considerada o "elo perdido" entre os humanos e os macacos. A descoberta de Lucy cativou o mundo: ela ficou famosa, seu esqueleto passou anos sendo exposto pelos Estados Unidos e agora é a atração principal do Museu Nacional da Etiópia, em Adis Abeba.

Ainda assim, só sabemos da existência dela por uma única razão: porque ela se fodeu. E isso ditou uma tendência bem clara de como as coisas seriam a partir de então.

Este é um livro sobre os humanos e a nossa capacidade impressionante de foder com tudo; sobre por que, para cada conquista que nos dá orgulho da nossa espécie (artes, avanços científicos, bares), sempre há outra coisa que nos faz balançar a cabeça em confusão e desespero (guerras, poluição, bares em aeroportos).

É bem provável que — independentemente das suas opiniões pessoais ou inclinações políticas —, você tenha, em algum momento, olhado para a situação do mundo e pensado: ai, merda, o que foi que a gente fez?

Este livro foi criado para consolar você um pouquinho: não se preocupe, a gente *sempre* foi assim. E olha só: ainda estamos aqui!

(Por outro lado, enquanto escrevo isto, estamos prestes a testemunhar um encontro nuclear entre Donald Trump e Kim Jong-un, que pode ou não acontecer e que pode ou não dar certo. Infelizmente, o prazo para entrega do texto termina antes do dia em que descobriremos se vamos todos morrer. Partirei do princípio de que, se você estiver lendo este livro, conseguimos sobreviver até julho de 2018, pelo menos.)

Existem muitos livros sobre as maiores conquistas da humanidade: os líderes mais importantes, os inventores mais geniais, o espírito humano indomável. E também existem muitos livros sobre nossos erros: tanto burradas individuais quanto mancadas em níveis sociais. Mas há certa escassez de trabalhos que expliquem nosso hábito de cometer idiotices tão absurdas e catastróficas.

Como o universo adora uma ironia, os motivos para cagarmos com tudo em uma escala tão abrangente são, em geral, os mesmos que nos diferenciam dos outros animais e propiciam nossa evolução. Nós, humanos, enxergamos padrões no mundo, somos capazes de transmitir informações uns aos outros e conseguimos imaginar situações futuras, que ainda não existem: e se ajustássemos *uma coisinha aqui* para uma *segunda coisa* acontecer, tornando o mundo um pouquinho melhor?

Mas o problema é que... olha, não temos muito talento para nada disso. Uma análise sincera do desempenho da humanidade nesses quesitos seria parecida com uma avaliação particularmente maldosa de fim de ano feita por um chefe que odeia você. Nós enxergamos padrões que não existem. Nossa capacidade de transmitir informações é, bem, falha em determinadas ocasiões. E temos a péssima tendência de não entendermos que mudar *uma coisa* também fará uma *terceira coisa* acontecer, além *daquela quarta coisa bem pior*, e *ai, meu Deus, não, agora tem uma quinta coisa acontecendo, o que eu faço?*

Não importa quanto a humanidade evolua, quantos desafios sejam superados, sempre tem uma catástrofe pronta para acontecer. Vejamos este exemplo histórico: em um momento, você é Sigurd, o Poderoso (um conde nórdico das Órcades do século IX), voltando triunfante de uma batalha, com a cabeça do seu inimigo massacrado, Máel Brigte, o Dentuço, presa em sua sela.

No instante seguinte, você é... bem, você é Sigurd, o Poderoso, alguns dias depois, morrendo de uma infecção causada pelo dente protuberante da cabeça decepada de Máel Brigte, o Dentuço, que arranhou sua perna enquanto você voltava triunfante da batalha.

Isso mesmo: Sigurd, o Poderoso, carrega a duvidosa honraria militar de ter sido morto por um inimigo que fora decapitado horas antes. Isso é uma lição valiosa sobre (a) a arrogância e (b) a importância de escolher inimigos que cuidem bem da higiene bucal. A arrogância e suas consequentes derrocadas serão o principal foco deste livro. Dessa vez os aficionados pela história da odontologia não deram sorte, infelizmente.

(Também vale mencionar que Sigurd, o Poderoso, e Máel Brigte, o Dentuço, só brigaram porque Sigurd desafiou Máel Brigte para uma batalha com "quarenta soldados de cada lado". Máel Brigte concordou, e Sigurd apareceu com oitenta homens. Assim, outra moral dessa história é a importância de não sermos babacas, o que, curiosamente, também é um tema recorrente neste livro.)

Sigurd é apenas um dos muitos infelizes que ficaram mais conhecidos por suas derrotas do que por suas vitórias. Nos próximos dez capítulos, vamos dar uma olhada em toda a história da humanidade e seu catálogo de burradas. Um breve aviso: se você não é o tipo de pessoa que vê graça na desgraça alheia, talvez seja melhor parar de ler por aqui.

A história do progresso humano começa com nossa criatividade e capacidade de raciocínio. É isso que nos diferencia dos outros animais — mas também é o que nos leva a tomar, com frequência, atitudes completamente imbecis.

No primeiro capítulo, **Por que seu cérebro é idiota**, discutiremos como nossos ancestrais pensavam de um jeito diferente — e então veremos como nossas tentativas de entender o mundo acabam nos confundindo, nos decepcionando e nos levando a tomar decisões muito, muito ruins.

Em seguida, no segundo capítulo, **Que belo meio ambiente você tem**, acompanharemos a humanidade no surgimento da agricultura, quando começamos a moldar o mundo ao nosso redor, e discutiremos nosso hábito de estragar os lugares em que moramos, buscando a origem de nossa capacidade constante de nunca pensarmos na resposta para a pergunta: "qual é a pior coisa que pode acontecer se desviarmos este rio?"

Depois disso, daremos uma olhada em nossas tentativas desajeitadas de controlar a natureza em **A vida, err, continua**, capítulo no qual discutiremos, entre outras coisas, como o Presidente do Conselho de Administração Mao e um fanático por Shakespeare meio excêntrico conseguiram causar catástrofes parecidas ao subestimarem os pássaros.

Conforme as primeiras sociedades humanas se desenvolveram e se tornaram mais complexas, ficou nítido que precisávamos de alguém que fosse responsável por tomar decisões. No quarto capítulo, **Siga o líder**, falaremos sobre algumas das piores pessoas a ocuparem esse cargo sem serem eleitas para ele; no Capítulo 5, **O poder do povo**, veremos se a democracia funciona melhor.

Apesar de sermos capazes de moldar o mundo ao nosso redor, o verdadeiro potencial da humanidade de demonstrar sua idiotice só se concretizou mesmo quando começamos a viajar pelo planeta e civilizações diferentes se encontraram. Então, nós fomos à forra e passamos a fazer besteira em proporções trágicas.

No Capítulo 6, **Guerra. É. Para que ela serve mesmo?**, veremos como os humanos têm um longo histórico de se meter em brigas inúteis e analisaremos algumas das coisas mais idiotas que resultaram delas — incluindo o exército que conseguiu perder uma batalha na qual os adversários nem apareceram e como estragar planos de ataque perfeitamente coordenados ao esquecer que fusos horários existem.

Seguiremos rumo ao desconhecido com as figuras heroicas da Era dos Descobrimentos no Capítulo 7, **A festa superdivertida e legal do colonialismo**, na qual descobriremos (*spoiler*) que o colonialismo foi péssimo.

O Capítulo 8, **O guia da diplomacia para idiotas e/ou para o atual presidente dos Estados Unidos**, nos ensinará lições importantes sobre como entrar em contato com culturas diferentes de forma elegante, incluindo como o xá do Império Corásmio talvez tenha tomado a pior decisão política da história. (Barbas pegaram fogo.)

Nos séculos mais recentes, avanços científicos e tecnológicos abriram caminho para uma era de inovações sem precedentes, rápidas mudanças e novas possibilidades interessantes para a humanidade fracassar. Esse é o foco do Capítulo 9, **A merda sanguinária da tecnologia**, no qual veremos como a ciência nem sempre acerta — incluindo a radiação misteriosa que só os franceses conseguiam enxergar e o homem que cometeu não apenas um, mas dois dos erros mais catastróficos do século XX.

Hoje em dia, tudo muda tão rapidamente que o mundo moderno pode parecer um lugar confuso; no Capítulo 10, **Uma breve história sobre ser pego de surpresa**, veremos como frequentemente não conseguimos prever as coisas terríveis que estão prestes a acontecer conosco.

E, finalmente, em **Fodendo com o futuro**, vamos tentar adivinhar como serão os próximos séculos de burrice humana e concluiremos que é bem provável que terminemos enclausurados em uma prisão espacial que nós mesmos construímos com nosso lixo.

Este é um livro sobre história e sobre erros. Então, é claro, vale mencionar que é fácil errarmos bastante quando se trata de história.

O problema é que a história é escorregadia: ninguém se deu ao trabalho de escrever a maioria das coisas que aconteceram, e muitas das pessoas que resolveram registrar os eventos podem ter se enganado ou mentido, e também serem loucas ou extremamente racistas (e, geralmente, todas essas coisas juntas). Conhecemos o destino de Sigurd, o Poderoso, porque sua história aparece em dois documentos: as sagas Heimskringla e Orkneyinga. Mas como sabemos que elas são verdadeiras? Como podemos ter certeza de que não era uma piada interna muito engraçada dos antigos nórdicos que não entendemos?

Não podemos. Não mesmo, apesar do trabalho fantástico feito por historiadores, arquitetos e especialistas de várias áreas. O número de fatos que sabemos com certeza é ínfimo quando comparado aos fatos que sabemos que não sabemos. E o número de informação que nem sabemos que não sabemos deve ser ainda maior, mas, infelizmente, não sabemos disso com certeza.

O que quero dizer é o seguinte: sério, existe uma chance mínima de este livro sobre burradas não cometer nenhuma. Tentarei deixar claro quando os fatos forem incertos: quais são as partes em que temos certeza e as partes em que só podemos supor o que aconteceu. Tentei fugir das histórias "boas demais para serem verdade", contos apocalípticos e relatos históricos sucintos que parecem aumentar sempre que são recontados. Espero não errar.

O que nos traz de volta a Lucy, que caiu de sua árvore 3,2 milhões de anos atrás. Como sabemos que ela caiu da árvore? Bem, em 2016, um grupo de pesquisadores dos Estados Unidos e da Etiópia publicou um trabalho na *Nature*, a principal revista científica do mundo. Eles fizeram uma tomografia computadorizada dos ossos fossilizados de Lucy, criando mapas virtuais em 3D para reconstruir seu esqueleto, e descobriram que suas fraturas ocorreram quando os ossos ainda estavam vivos, mas nunca se curaram: o que sugere que ela se machucou em vida, morrendo logo depois. Foram consultados vários cirurgiões ortopédicos, e eles deram uma resposta unânime: esse padrão de fraturas ocorre quando um paciente cai de lugares altos. Seu braço está quebrado de uma forma que sugere que ela tentou amortecer a queda. Através de estudos geológicos, os cientistas sabiam que a área em que Lucy vivia era uma floresta plana, perto de um riacho, sem penhascos ou afloramentos dos quais pudesse ter caído. A conclusão? Ela despencou de uma árvore.

É um trabalho impressionante, que foi bem-recebido por muitos outros especialistas da área. O único problema é que alguns cientistas — incluindo Donald Johanson, o homem que descobriu Lucy — não se convenceram. Seu argumento era: "Não, cara, os ossos quebraram porque é isso que acontece quando eles passam 3,2 milhões de anos enterrados." (Estou parafraseando um pouco.)

Então... Lucy caiu mesmo da árvore? Talvez. É bem provável, na verdade. No final das contas, esta é a mensagem que este livro quer passar: temos uma façanha incrível de dedução científica, e *mesmo assim* ela pode estar errada. Você pode ser o maior especialista na sua área, fazendo o melhor trabalho de sua carreira, um estudo revolucionário publicado no periódico mais prestigiado do mundo, que entrelaça avanços impressionantes da paleontologia e da física, da informática e da medicina, da ciência forense e da geologia, para nos dar uma visão sem precedentes de algo que aconteceu milhões de anos atrás... e ainda assim correr o risco de ouvir alguém dizer: "Hahahaha, não."

Quando você pensar que tudo está resolvido, o fantasma onipresente das burradas vai aparecer.

Lembre-se de Sigurd, o Poderoso.

1

Por que seu cérebro é idiota

Os seres humanos começaram a realmente estragar a vida dos outros setenta mil anos atrás.

Foi aí que os nossos ancestrais resolveram migrar da África e se espalhar pelo mundo — primeiro para a Ásia e, um tempo depois, para a Europa. E isso deixou muita gente irritada, porque, naquela época, os membros da nossa espécie, *Homo sapiens*, não eram os únicos humanos no planeta. Nem de perto. O número exato de espécies humanas que existiam até então está aberto a discussões. É complicado pegar fragmentos de DNA de esqueletos e tentar determinar o que pode ser considerado uma espécie diferente, ou uma subespécie, ou uma versão levemente diferente e esquisita da mesma espécie. (Também é a melhor maneira de começar uma briga, caso você esteja conversando com um grupo de paleoantropólogos e queira se distrair um pouco.) Mas, independentemente das classificações, havia pelo menos dois outros tipos de humanos no planeta, o mais famoso sendo o *Homo neanderthalensis* — ou, como são mais conhecidos, os neandertais. Resultado de migrações anteriores da África, há mais de cem mil anos viviam em grande parte da Europa e alguns trechos da Ásia. Em resumo, as coisas estavam indo bem para eles.

Infelizmente para essa galera, apenas algumas dezenas de milhares de anos após nossos ancestrais aparecerem no pedaço — um piscar de olhos em termos evolucionários —, os neandertais e todos os nossos outros parentes tinham sumido da face da Terra. Em um padrão que rapidamente se estabeleceria durante a história, a gente chegou e a vizinhança sumiu. Depois de alguns milhares de anos de humanos modernos migrando para uma área, os neandertais começam a desaparecer dos registros fósseis, deixando para trás apenas alguns genes fantasmagóricos que ainda assombram nosso DNA. (Está claro que houve certa miscigenação entre os neandertais e os intrusos que apareceram para tomar o lugar deles; se você tem descendência europeia ou asiática, é bem provável que cerca de um a quatro por cento do seu DNA tenha origem neandertal.)

Exatamente por que e como nós sobrevivemos enquanto nossos primos pegaram o trem expresso para a Terra da Extinção também é algo muito debatido. Na verdade, a maioria das explicações mais prováveis são temas que aparecerão com frequência neste livro. É possível que tenhamos acabado com os neandertais por acidente, ao trazer doenças para as quais eles não tinham imunidade. (Grande parte da história da humanidade é só a história das doenças que contraímos em nossas viagens e depois transmitimos uns para os outros.) Pode ser que a gente tenha tido sorte e conseguido se adaptar com mais facilidade a um clima oscilante. Existem provas de que nossos ancestrais viviam em grupos maiores e que se comunicavam de forma bem mais ampla do que os neandertais, isolados e antiquados, o que significa que a gente era capaz de conseguir mais recursos quando o tempo esfriava.

Ou, talvez, simplesmente tenhamos matado todo mundo, porque, ora, é isso que nós fazemos.

É bem provável que não exista uma resposta exata, porque não é assim que as coisas normalmente funcionam. Porém, muitas das explicações mais plausíveis têm algo em comum: nosso cérebro e como o usamos. A questão não é tão simples a ponto de se resumir a "nós éramos inteligentes, e eles, burros"; os neandertais não eram os cabeças ocas que estereotipamos. Seus cérebros eram tão grandes quanto os nossos, e eles criavam ferramentas, controlavam o fogo e produziam arte abstrata e joias na Europa dezenas de milhares de anos antes do *Homo sapiens* aparecer e começar a gourmetizar tudo. Porém, a maioria das possíveis vantagens que tínhamos sobre nossos primos neandertais é relacionada ao raciocínio, tanto no que se referia à nossa adaptabilidade quanto às nossas ferramentas mais avançadas, nossas estruturas sociais mais complexas e a maneira como nos comunicávamos entre grupos e dentro deles.

Existe algo na forma como nós, humanos, pensamos que nos torna especiais. Tipo, isso é óbvio. O nome da nossa espécie já deixa bem claro: *Homo sapiens* significa "homem sábio" em latim. (Vamos combinar que a modéstia nunca foi uma característica muito forte da nossa espécie.)

Mas sejamos justos com nossos egos. O cérebro humano realmente é uma máquina impressionante. Nós conseguimos detectar padrões ao nosso redor e, a partir disso, deduzir como as coisas funcionam, criando um modelo mental complexo do mundo que vai além do que conseguimos enxergar com nossos olhos. Então, nos baseamos nesse modelo mental para chegar a conclusões criativas: somos capazes de visualizar mudanças que melhorariam nossa situação. Nós comunicamos essas ideias para outros humanos, para que eles façam melhorias que não consideramos antes, transformando a invenção e o conhecimento em um esforço comunitário que é passado de geração em geração. Depois disso, podemos convencer os outros a trabalharem juntos em prol de um plano que só existia na nossa imaginação, de forma a alcançar desenvolvimentos que jamais conseguiríamos realizar sozinhos. Então repetimos esse processo muitas vezes, de milhares de maneiras diferentes, e as coisas que em determinado momento eram vistas como inovações absurdas acabam se tornando uma tradição, que, por sua vez, gera mais inovações, até acabarmos com algo que chamamos de "cultura" ou "sociedade".

Veja desta forma: o primeiro passo é notar que coisas redondas rolam morro abaixo bem melhor do que coisas com protuberâncias. O segundo é perceber que, se você criar uma ferramenta para esculpir algo e torná-lo mais redondo, esse objeto vai rolar melhor. O terceiro é mostrar ao seu amigo suas novas coisas redondas que rolam, momento no qual ele pensa em juntar quatro delas para fazer uma carroça. O quarto passo é construir uma frota de carruagens cerimoniais, de forma que a plebe visualize a glória do seu reinado benevolente, porém implacável. E o quinto é atravessar a estrada em um Vauxhall Insignia, ouvindo uma compilação de hinos do rock clássico melódico enquanto mostra o dedo do meio para motoristas de caminhão.

(UMA OBSERVAÇÃO IMPORTANTE EM PROL DO PEDANTISMO: essa foi uma descrição extremamente caricatural da invenção da roda. Na verdade, no esquema geral das coisas, a roda foi inventada bem tarde, quando a civilização já passara milhares de anos se virando sem ela. A primeira roda na história arqueológica, que apareceu cerca de cinco mil e quinhentos anos atrás, na Mesopotâmia, nem era usada para transporte: era uma roda de oleiro. Foi só depois de centenas de anos que alguém teve a brilhante ideia de colocar a roda de oleiro de lado e usá-la para rolar as coisas, começando, assim, o processo que culminaria no surgimento de Jeremy Clarkson. Mil perdões para os estudiosos da roda que se ofenderam com o parágrafo anterior, que foi criado apenas com um propósito ilustrativo.)

Porém, apesar de o cérebro humano ser impressionante, ele também é bastante esquisito e propenso a criar problemas horríveis no pior momento possível. Temos o hábito de tomar péssimas decisões, acreditar em coisas ridículas, ignorar fatos que estão bem debaixo do nosso nariz e bolar planos que não fazem sentido algum. Nossa mente é capaz de criar concertos, cidades e a teoria da relatividade, mas, pelo visto, não consegue decidir que tipo de biscoito quer comprar no mercado sem passar cinco minutos sofridos analisando os prós e os contras de cada opção.

Como a nossa forma peculiar de pensar nos permite moldar, de maneiras incríveis, o mundo de acordo com nossos desejos, mas também faz com que frequentemente tomemos as piores decisões possíveis, apesar de ser óbvio que se tratam de péssimas ideias? Resumindo: como uma espécie capaz de mandar o homem à Lua produz alguém que manda uma mensagem DAQUELAS para o ex? A resposta está na evolução do nosso cérebro.

O problema é que a evolução não é um processo inteligente — é, no mínimo, um processo persistentemente burro. A única coisa que importa para a evolução é que você sobreviva por tempo suficiente para passar seus genes adiante, desviando das milhares de horríveis mortes à espreita em cada esquina. Se você conseguir fazer isso, missão cumprida. Caso contrário, azar o seu. Isso significa que a evolução não prevê o futuro. Se uma característica lhe dá vantagem *agora*, ela será selecionada, independentemente de isso significar que você vai forçar seus tatatatatataranetos a conviverem com algo ultrapassado. Da mesma forma, ela não valoriza a cautela. Dizer: "Ah, essa característica é meio chata agora, mas vai ser bem útil para meus descendentes daqui a um milhão de anos, confie em mim" não serve de nada. A evolução consegue resultados não por se concentrar no futuro, mas por simplesmente jogar um monte de organismos famintos e cheios de tesão em um mundo perigoso e inclemente, observando quem fracassa menos.

Isso significa que nosso cérebro não é o resultado de um processo meticuloso de criação voltado para desenvolver as melhores máquinas pensantes; na verdade, ele é um conjunto desordenado de truques, remendos e atalhos que tornaram nossos ancestrais dois por cento melhores em encontrar comida, ou três por cento melhores em transmitir o conceito de "ai, merda, cuidado, é um leão".

Esses atalhos mentais (conhecidos como "heurística", caso você esteja interessado em termos técnicos) são completamente necessários para a sobrevivência, para a interação com outros seres e para aprendermos com experiências passadas: é impossível sentar e pensar em tudo o que você precisa fazer com base apenas nos primeiros princípios. Se tivéssemos que conduzir um equivalente cognitivo a um estudo clínico randomizado, controlado em grande escala, sempre que quiséssemos parar de nos surpreender com o fato de o sol nascer todas as manhãs, nossa espécie nunca chegaria a lugar algum. É bem mais prático seu cérebro concluir que "Ah, o sol nasce" depois de ter visto isso acontecer algumas vezes. Da mesma forma, se um amigo vier lhe dizer que passou muito mal depois de comer as frutinhas roxas daquele arbusto perto do lago, talvez seja melhor acreditar nele do que experimentá-las também.

Mas é aí que os problemas começam. Por mais que sejam úteis, nossos atalhos mentais (como todos os atalhos) às vezes vão dar no caminho errado. E, em um mundo em que temos que lidar com questões bem mais complexas do que "será que é uma boa ideia comer as frutinhas roxas?", isso acontece *bastante*. Para ser franco, seu cérebro (e o meu, e basicamente o de todo mundo), na maioria das vezes, é um completo idiota.

Em primeiro lugar, existe aquela tal capacidade de identificar padrões. A questão, nesse caso, é que nosso cérebro gosta tanto de fazer isso que acaba vendo padrões em tudo que é canto — até onde eles não existem. A questão não é tão grave quando se trata de coisas como apontar para as estrelas à noite e dizer: "Ahh, olha só, é uma raposa correndo atrás de uma lhama." Mas, quando os padrões imaginários que você visualiza são algo parecido com "a maioria dos crimes é cometida por um grupo étnico específico", isso é... Bem, isso é extremamente problemático.

Existem vários termos para esse tipo equivocado de identificação de padrões — "correlação ilusória" e "ilusão de agrupamento" são alguns deles. Durante a Segunda Guerra Mundial, muita gente em Londres ficou convencida de que os mísseis alemães V-1 e V-2 (que já eram uma nova tecnologia bem assustadora) caíam em regiões específicas da cidade, levando as pessoas a buscarem abrigo em áreas que julgavam mais seguras ou a suspeitarem de que certas vizinhanças aparentemente intocáveis abrigavam espiões alemães. O governo britânico ficou tão preocupado que pediu a um estatístico chamado R. D. Clarke que verificasse se isso era verdade.

A conclusão? As "regiões específicas" eram apenas uma fantasia, fantasmas ilusórios da identificação de padrões. No final das contas, os alemães não tinham feito nenhum progresso surpreendente na tecnologia de mísseis guiados, e Clerkenwell não estava cheia de agentes secretos da Wehrmacht; as bombas simplesmente eram jogadas na cidade de forma completamente aleatória. As pessoas só enxergaram um padrão porque é assim que nossos cérebros funcionam.

Até profissionais especializados podem ser vítimas desse tipo de ilusão. Por exemplo, muitos funcionários da área médica têm certeza de que a emergência dos hospitais sempre fica mais movimentada em noites de lua cheia — os pacientes aparecem aos montes, com machucados bizarros e comportamentos psicóticos. Acontece que já foram feitos estudos sobre o tema, e, de acordo com os resultados, nada disso é verdade: não existe qualquer ligação entre as fases da lua e a quantidade de pacientes de um hospital em determinado dia. Ainda assim, um monte de profissionais talentosos e experientes juram que isso acontece.

Por quê? Bem, essa crença não surgiu do nada. A ideia de que a lua deixa as pessoas esquisitas é transmitida há séculos. É literalmente daí que veio a palavra "lunático". É por isso que temos o mito do lobisomem. (A crença também pode ser relacionada à suposta correlação entre as fases da lua e os ciclos menstruais das mulheres.) E, no fim das contas, talvez isso até tenha sido verdade um dia! Antes da invenção das luzes artificiais — da iluminação das ruas, em específico —, a luz da lua afetava bastante a vida das pessoas. Uma teoria sugere que os mendigos não conseguiam dormir em noites de lua cheia, e a insônia piorava seus distúrbios mentais. (Como eu gosto das teorias que envolvem cerveja, também vou mencionar uma sugestão alternativa: as pessoas provavelmente bebiam mais nas noites em que sabiam que conseguiriam enxergar o caminho de volta para casa, sem se preocuparem tanto em se perder, serem assaltadas ou tropeçarem e morrerem em uma vala.)

Seja lá de onde ela veio, essa ideia está entranhada na cultura faz tempo. E depois que você escuta que noite de lua cheia é equivalente a loucuras, é bem mais provável que preste atenção nas vezes em que a teoria se mostra *correta* e se esqueça de quando não foi o caso. Sem querer, seu cérebro criou um padrão com base em algo aleatório.

Mais uma vez, isso acontece por causa dos atalhos mentais que usamos. Os principais são o "efeito de ancoragem" e a "heurística de disponibilidade", e os dois são um pé no saco.

Ancoragem significa que, quando você chega a uma conclusão sobre algo, principalmente sem muito conhecimento de caso, está sofrendo uma influência exagerada da primeira informação que recebeu. Por exemplo, imagine que alguém lhe peça para adivinhar o preço de alguma coisa com a qual você não está familiarizado o suficiente para dar um palpite adequado — digamos, o preço de uma casa em uma fotografia. (Observação para a geração Y: casas são aquelas construções grandes, feitas de tijolos, que vocês nunca conseguirão comprar.) Sem nenhum dado em que se basear, você talvez olhe para a foto, conclua que a casa parece cara e dê um chute. Porém, seu palpite poderia ser completamente diferente se tivessem lhe informado um valor — por exemplo, com uma pergunta sugestiva tipo "você acha que essa casa vale mais ou menos que quatrocentos mil dólares?" É importante perceber que a pergunta não forneceu qualquer informação útil. (Seria diferente se tivessem mencionado o valor atual de outras casas da região.) Mesmo assim, as pessoas que recebem a sugestão de seiscentos mil dólares tendem a estimar um valor muito maior do que as pessoas a quem sugerem duzentos mil. Apesar de a pergunta não ser informativa em nenhum aspecto, ela afeta sua opinião, porque você recebeu uma "âncora" — seu cérebro a interpreta como um ponto de partida e ajusta seu palpite de acordo com ela.

Nós fazemos isso tantas vezes que chega a ser ridículo: a informação que usamos como âncora pode ser tão obviamente inútil quanto um número aleatório, e nossos cérebros se agarram a esse dado, moldando nossas decisões a favor dele. Na verdade, a questão é até preocupante: Daniel Kahneman, em seu livro *Rápido e devagar: duas formas de pensar*, dá o exemplo de um experimento feito em 2006 com um grupo de juízes alemães extremamente experientes. Os participantes receberam os detalhes do julgamento de uma mulher condenada por furto. Depois, foi pedido que jogassem dois dados, que (sem que eles soubessem) estavam viciados para só resultarem em três ou nove. Então, perguntaram para eles se a mulher deveria receber mais ou menos meses de cadeia do que o resultado dos dados e, por último, qual seria sua recomendação para o tempo da sentença.

Dá para imaginar o resultado: os juízes que tiraram nove nos dados a sentenciaram a um tempo de prisão muito maior do que aqueles que tiraram três. Na média, o resultado dos dados faria a mulher passar três meses a mais na cadeia. Isso não é reconfortante.

Ao mesmo tempo, a heurística de disponibilidade significa que você toma decisões com base em qualquer informação que lhe venha à mente com mais facilidade, em vez de considerar todos os dados disponíveis. Isso quer dizer que temos uma tendência enorme a basear nossa visão de mundo em acontecimentos recentes ou em eventos mais dramáticos ou memoráveis, enquanto as coisas corriqueiras e antigas que provavelmente são uma representação mais precisa da realidade diária acabam... sendo deixadas de lado.

É por isso que notícias sensacionalistas sobre crimes horríveis fazem com que a gente acredite que existem mais bandidos na rua do que nunca, enquanto matérias simples sobre a melhora nas estatísticas de delitos não chegam nem perto de causar o mesmo impacto. Esse é um dos motivos pelos quais as pessoas têm mais medo de quedas de avião (raras e dramáticas) do que de batidas de carro (comuns e, portanto, um pouco menos chamativas). E é por isso que ataques terroristas produzem reações acaloradas do público e de políticos, enquanto ameaças de morte bem mais graves e rotineiras são ignoradas. Nos Estados Unidos, entre 2007 e 2017, mais pessoas foram mortas por cortadores de grama do que por ataques terroristas. Porém, no momento em que escrevo isto, o governo americano ainda não fez qualquer menção de declarar uma Guerra contra cortadores de grama. (Embora, sejamos sinceros, considerando os eventos mais recentes, é melhor não duvidarmos de que isso possa acontecer.)

Trabalhando juntos, o efeito de ancoragem e a heurística de disponibilidade servem tanto para tomarmos atitudes rápidas em momentos de crise quanto para formarmos opiniões sobre coisas pequenas e corriqueiras que não têm muito impacto. Porém, se você quiser avaliar toda a complexidade do mundo moderno antes de tomar uma decisão esses conceitos podem complicar um pouco a situação. Seu cérebro tentará voltar para a zona de conforto factual daquilo que você ouviu primeiro ou do que vier à sua mente mais rápido.

Esses dois fatores também ajudam a explicar por que somos péssimos em julgar riscos e prever corretamente qual das muitas opções disponíveis é a menos provável de causar uma catástrofe. Na verdade, nosso cérebro tem dois sistemas diferentes que nos ajudam a avaliar o quanto algo é perigoso: um, rápido e instintivo, e outro, lento e reflexivo. A situação se complica quando esses dois sistemas entram em conflito. Uma parte do cérebro diz: "Eu analisei todos os fatos, e a opção 1 é a mais arriscada." E a outra parte grita: "Sim, mas a opção 2 PARECE assustadora!"

"Claro", você pode pensar, "mas nós somos mais inteligentes que isso. Podemos forçar nossos cérebros a sair da zona de conforto, não é? Podemos ignorar a voz instintiva e ampliar a reflexiva, observando a situação com objetividade, certo?" Infelizmente, essa teoria não leva o viés de confirmação em consideração.

Antes de eu começar minha pesquisa para este livro, achava que o viés de confirmação era um problema grave, e tudo que li desde então me convenceu de que eu estava certo. E a questão é exatamente esta: nossos cérebros *odeiam* descobrir que estão errados. O viés de confirmação é o nosso hábito irritante de focarmos feito um míssil guiado a laser em qualquer migalha de informação que prove aquilo em que já acreditamos, ao mesmo tempo em que ignoramos na cara de pau pilhas muito, muito maiores de provas que mostram que estamos enganados. Na melhor das hipóteses, isso explica por que preferimos receber notícias dos meios de comunicação que são mais adequados às nossas opiniões políticas. Em casos mais graves, é por esse motivo que não conseguimos convencer alguém que acredita em teorias da conspiração a mudar de ideia, porque escolhemos a dedo os eventos que comprovam nossa versão da realidade e descartamos aqueles que não o fazem.

Mais uma vez, é uma característica que pode ser muito útil: o mundo é um lugar complexo e complicado, que não se revela para nós em apresentações de PowerPoint simples e bonitinhas, listadas em itens fáceis de ler. Para criarmos qualquer modelo mental do mundo, precisamos descartar informações inúteis e nos concentrarmos nos fatos certos. O problema é que determinar quais informações são válidas é quase uma aposta cognitiva.

Mas fica pior. A resistência do nosso cérebro à ideia de que ele pode se enganar é ainda mais profunda. Dá para imaginar que, se depois de tomarmos uma decisão e colocarmos nossos planos em ação, percebermos que *aquilo vai dar muito errado*, seria mais fácil mudar de opinião. Hahaha, não. Existe um negócio chamado "viés pró-escolha", que basicamente significa que, quando nos comprometemos com alguma atitude, nos agarramos à ideia de que tomamos a decisão certa como um marinheiro à deriva abraçado em uma tábua. A gente até repassa nossas lembranças de como e por que tomamos aquela decisão, em uma tentativa de confirmar nossa escolha. No melhor dos casos, é por isso que você acaba mancando em agonia depois de comprar um novo par de sapatos desconfortável, mas continua dizendo para todo mundo que eles "fazem com que eu pareça PODEROSA e SEDUTORA ao mesmo tempo". Em casos mais graves, esse é o motivo pelo qual ministros do governo continuam a insistir que "as negociações vão muito bem e que já fizemos muito progresso", quando todo mundo já percebeu que está tudo uma merda. A decisão foi tomada, então ela precisa ser correta, porque nós fomos os responsáveis por ela.

Existem até provas de que, em determinadas situações, o simples ato de dizer às pessoas que elas estão enganadas — mesmo que você tenha a paciência de explicar claramente os motivos pelos quais se equivocaram — pode fazer com que elas acreditem *ainda mais* na coisa errada. Diante daquilo que encaram como oposição, elas se tornam mais determinadas e enraízam ainda mais suas crenças. É por isso que discutir com seu tio racista no Facebook ou decidir seguir carreira no jornalismo podem ser decisões fadadas ao fracasso que só servirão para decepcioná-lo e deixar todo mundo bastante irritado com você.

Mas isso não significa que as pessoas sejam incapazes de tomar atitudes sensatas e inteligentes: é óbvio que elas conseguem. Afinal de contas, você está lendo este livro. Parabéns, sua capacidade de tomar decisões é maravilhosa! Porém, é comum que o nosso cérebro coloque inúmeros obstáculos no caminho, sempre achando que está nos ajudando.

É claro que, se nós já temos dificuldade em tomar decisões sozinhos, as coisas só pioram quando tomamos decisões com outras pessoas. Nós somos uma espécie social, e não gostamos naaaaaaaaada de nos sentirmos excluídos do grupo. E é por isso que frequentemente ignoramos nossos instintos só para nos enturmar.

É daí que surge o pensamento de massa — quando a ideia dominante de um grupo é maior que todas as outras, e as dissidentes são dispensadas ou nunca mencionadas, graças à pressão social de que ninguém quer ser aquela pessoa que diz: "Olha, acho que isso não vai dar certo." E também é por esse motivo que entramos na onda dos outros sem nem pestanejar: o simples ato de vermos pessoas fazendo ou acreditando em algo aumenta nossa vontade de acompanhá-las, de fazer parte da galera. Quando você era criança e sua mãe lhe perguntava: "Se os seus amigos pulassem de uma ponte, você pularia também?", era bem provável que você respondesse: "Acho que sim."

E, enfim, existe o fato de que, sinceramente, nós nos achamos maravilhosos quando, na verdade, não somos. Você pode chamar isso de presunção, de arrogância, de burrice: pesquisas mostram que a gente superestima demais nossa própria competência. Se você pedir a um grupo de alunos para prever suas classificações na turma no fim do ano, a maioria responderá que estará entre os vinte primeiros. Quase ninguém vai dizer: "Ah, é, eu devo estar abaixo da média." (Na verdade, geralmente respondem que estão fora da lista dos dez melhores alunos, mas dentro da lista dos vinte, como uma versão modesta de pedir o segundo vinho mais barato do cardápio.)

Existe um problema cognitivo famoso chamado efeito Dunning-Kruger, e, além de ser um nome excelente para uma banda de rock progressivo dos anos 1970, esse talvez seja o santo padroeiro deste livro. Descrito pela primeira vez no trabalho *Unskilled and Unaware of It: How Difficulties in Recognizing One's Own Incompetence Lead to Inflated Self-Assessments* [Incapacitado e ignorante: como as dificuldades em reconhecer a própria incompetência levam a autoavaliações exageradas, em tradução livre], dos psicólogos David Dunning e Justin Kruger, ele fornece provas de algo que todos nós já testemunhamos. As pessoas que realmente têm talento para determinada tarefa tendem a ser modestas sobre suas habilidades; ao mesmo tempo, aquelas sem qualquer habilidade ou talento na área superestimam sua competência. Nós não sabemos o suficiente sobre nossos defeitos para entender como somos ruins nesses quesitos. Então, seguimos com nossas burradas, alegres e confiantes demais, com uma visão otimista sobre aquilo que estamos prestes a fazer de uma forma muito, muito errada. (Conforme o restante deste livro mostrará, dentre todos os erros que nosso cérebro comete, a "confiança" e o "otimismo" talvez sejam os mais perigosos.)

Esses fracassos cognitivos, empilhados uns em cima dos outros até formarem as sociedades, fazem com que a gente cometa os mesmos erros o tempo todo. Abaixo estão alguns deles: pense nisso como um guia para o restante do livro.

Para começar, nosso desejo de compreender o mundo e identificar padrões significa que passamos boa parte do tempo nos convencendo de que a vida funciona de determinada maneira, sendo que, na verdade, estamos completamente enganados. Isso pode englobar uma série de coisas, desde pequenas superstições pessoais a teorias científicas absurdas, e explica por que temos tanta facilidade em acreditar em propagandas e *fake news*. O negócio começa a ficar divertido quando alguém consegue convencer muita gente de que sua teoria sobre o funcionamento do mundo é verdade, causando o surgimento de religiões, ideologias e todas aquelas ideias geniais que se mostraram tão agradáveis durante o decorrer da história.

Os humanos também são péssimos em avaliar riscos e fazer planos para o futuro. Isso acontece porque a arte da predição é especialmente difícil, ainda mais se você está tentando prever o que vai acontecer com sistemas muito complexos, como o clima, o mercado financeiro ou a sociedade humana. Mas também é por isso que, depois que imaginamos um futuro possível que nos agrada de alguma forma (com frequência porque ele se encaixa em nossas crenças preexistentes), temos o prazer de ignorar quaisquer provas que contrariem nossa teoria, nos recusando a ouvir todo mundo que sugira que estamos errados.

Um dos incentivos mais fortes para esse tipo de abordagem idealista ao planejamento é, claro, a ganância. A possibilidade de enriquecimento rápido sempre faz as pessoas perderem a cabeça — no final das contas, temos muita dificuldade em analisar os custos-benefícios quando os benefícios parecem ser bons demais. Nós não só atravessamos oceanos e escalamos montanhas em busca da promessa (frequentemente imaginária) de riquezas, como também não temos problema algum em ignorar qualquer noção de moralidade ou decência enquanto fazemos isso.

A ganância e o egoísmo também estão por trás de outro erro comum: aquele em que coletivamente estragamos tudo porque queríamos tirar vantagem de alguma coisa. Na ciência social, essa categoria de mancada leva o nome de "armadilha social" ou "tragédia dos comuns", que acontece quando um grupo de pessoas faz coisas que, individualmente, não seriam em nada problemáticas, mas que, quando praticadas repetidas vezes, causam transtornos em longo prazo. No geral, isso significa a destruição de um recurso compartilhado por excesso de exploração: por exemplo, pescar em uma área em que a quantidade de peixes não consegue se renovar. Também existe um conceito parecido na economia, chamado "externalidade negativa" — resumindo: é uma transação em que ambas as partes se dão bem, mas que causa um problema em outra área, que geralmente é arcado por alguém que nem fazia parte da negociação. A poluição é um exemplo clássico: se você comprar algo de uma fábrica, os dois envolvidos ficam satisfeitos, mas as pessoas que moram na beira do rio em que a empresa despeja seus dejetos químicos não vão ficar tão felizes com isso.

Esse grupo de erros associados está por trás de boa parte das merdas que os humanos fazem — em sistemas que vão do capitalismo a cooperativas, e em questões que podem ser tão vastas quanto as mudanças climáticas ou tão pequenas quanto dividir a conta em um restaurante. Nós sabemos que mentir sobre quanto cada um tem que pagar é uma péssima ideia para todos, mas, se todo mundo está fazendo isso, não queremos que nos passem a perna ao sermos os únicos honestos. Então damos de ombros e dizemos: "O problema não é meu, cara."

Outro erro comum que cometemos é o preconceito: nossa tendência a dividir o mundo em "nós" e "eles" e, então, acreditarmos sempre nas piores coisas sobre seja lá quem "eles" forem. É aqui que todos os nossos vieses cognitivos se juntam para a festa da intolerância — nós repartimos o mundo de acordo com padrões que não existem, tomamos decisões impulsivas com base na primeira coisa que nos vem à mente, escolhemos provas que confirmam nossas crenças, tentamos desesperadamente nos encaixar em grupos e temos confiança em nossa própria superioridade por motivo nenhum.

(Essa reflexão é feita neste livro de várias formas: apesar de esta ser uma história dos fracassos da humanidade, estamos tratando, na verdade, com pouquíssimas exceções, da história dos fracassos dos homens; frequentemente de homens brancos. Isso acontece porque eles eram, constantemente, os únicos que tinham a oportunidade de fracassar. Em geral, livros de história não deveriam se concentrar, quase que exclusivamente, nos feitos de velhos caucasianos, mas, considerando o tema de que estamos tratando, creio que seja uma coletânea justa.)

E, por fim, nosso desejo de sermos mais um na multidão significa que somos extremamente propensos a seguir modas, loucuras e manias de vários tipos — fixações breves e tentadoras que conquistam a sociedade e fazem todo mundo abandonar a racionalidade. Elas ocorrem de várias maneiras. Algumas podem ser apenas físicas, como as dançomanias inexplicáveis que passaram cerca de sete séculos tomando conta da Europa na Idade Média, periodicamente, e tornaram centenas de milhares de pessoas subitamente infectadas pela vontade incontrolável de dançar, às vezes até a morte.

Outras são financeiras, quando nosso desejo por dinheiro é combinado com nossa avidez por pertencer a um grupo, e passamos a acreditar em qualquer esquema de riqueza rápida que esteja rolando no momento. (Na Londres de 1720, houve tamanho frenesi para investir nos Mares do Sul que um grupo de charlatões conseguiu vender ações descritas como sendo de "uma empresa que traz muitas vantagens, mas ninguém deve saber o que ela faz".) É assim que as bolhas financeiras acontecem — quando o valor percebido de algo é bem maior que o valor real. As pessoas começam a investir em determinada coisa não porque acreditam que ela tenha qualquer valor intrínseco, mas apenas porque, contanto que gente suficiente ache que aquilo vale alguma coisa, você vai lucrar. É claro que a realidade acaba batendo à porta uma hora, muita gente perde muito dinheiro e, às vezes, a economia inteira vai para o buraco.

E algumas manias são pânicos coletivos, frequentemente baseados em boatos que se alimentam de nossos medos. É por isso que caças às bruxas, de uma forma ou de outra, aconteceram em praticamente todas as culturas do mundo (é estimado que cinquenta mil pessoas tenham morrido na Europa durante as obsessões com bruxas, muito comuns do século XVI ao XVIII).

Esses são apenas alguns erros que ocorrem com uma previsibilidade deprimente ao longo de toda a história da civilização humana. Mas, é claro, antes de começarmos a cometê-los de verdade, tivemos que inventar a civilização primeiro.

AS CINCO OBSESSÕES MAIS ESTRANHAS DA HISTÓRIA

Dançomania

Surtos de danças inexplicáveis e incontroláveis eram comuns em boa parte da Europa entre os séculos XIV e XVII, às vezes envolvendo milhares de pessoas. Ninguém consegue explicar bem o porquê.

Envenenamento de poços

Mais ou menos na mesma época, também era comum o pânico coletivo por causa de boatos sobre o envenenamento de poços — geralmente colocavam a culpa nos judeus. Algumas crises levaram a tumultos e à queima de casas judias.

Roubo de pênis

Surtos de pânico causados por boatos de que forças malignas estariam roubando ou encolhendo o órgão genital dos homens ocorreram no mundo todo — a culpa era das bruxas na Europa, de comida envenenada na Ásia e de feiticeiros na África.

Epidemias de riso

Desde a década de 1960, epidemias de risadas incontroláveis ocorrem em muitas escolas africanas — em 1962, um famoso surto na Tanzânia durou um ano e meio, forçando as escolas a ficarem temporariamente fechadas.

A ameaça vermelha

Um "pânico moral" clássico, a onda de histeria anticomunista inundou os Estados Unidos entre as décadas de 1940 e 1950, conforme a mídia e políticos populistas espalhavam a crença exagerada de que agentes comunistas estavam infiltrados por todas as partes da sociedade americana.

2

Que belo meio ambiente você tem

Cerca de treze mil anos atrás, no Crescente Fértil da antiga Mesopotâmia, os humanos começaram a fazer as coisas de um jeito muito diferente. Eles passaram pelo que pode ser descrito como uma "mudança de estilo de vida", que, nesse caso, ia muito além de cortar os carboidratos e entrar para a academia. Em vez da abordagem tradicional para se obter comida — no caso, sair em busca dela —, eles descobriram o truque maneiro de como fazer a comida vir até eles. Começaram a plantá-la.

O desenvolvimento da agricultura não facilitaria apenas a hora do almoço: era algo que mudaria completamente a sociedade e causaria transformações profundas na natureza ao nosso redor. Antes da agricultura, o normal era que mudássemos de lugar de acordo com a estação do ano, indo à procura de alimento. Porém, depois que você planta um monte de arroz e trigo, é preciso ficar por perto para tomar conta deles. Foi então que surgiram assentamentos permanentes, vilas e, um tempo depois, cidades, com todas as coisas que acompanham esses lugares.

A agricultura era uma ideia tão obviamente ótima que surgiu ao mesmo tempo em vários locais diferentes, sem qualquer conexão, com algumas centenas de anos de diferença em cada continente — pelo menos na Mesopotâmia, Índia, China, América Central e América do Sul. Existe, porém, uma escola de pensamento que diz que a agricultura não foi nosso maior avanço. Na verdade, talvez ela tenha sido um erro muito, muito catastrófico.

Para começo de conversa, a origem da agricultura também foi a origem de um conceito muito divertido conhecido como "desigualdade econômica": nasceram as primeiras elites, que tinham mais coisas do que o restante das pessoas, e com elas a crença de que quem tem mais pode mandar em todo mundo. Também é provável que tenha sido o início das guerras, porque, depois que você passava a ter uma vila, havia o risco de ela ser atacada pela vila vizinha. A agricultura fez com que os humanos entrassem em contato com novas doenças, e a vida comunitária em assentamentos cada vez maiores criou condições para epidemias. Também há evidências que sugerem que pessoas em sociedades não agrícolas comiam mais, trabalhavam menos e talvez fossem mais saudáveis.

Basicamente (de acordo com essa ideia), boa parte dos problemas da vida moderna ocorre porque, milhares de anos atrás, alguém resolveu enfiar sementes no chão. A agricultura não foi perpetuada porque facilitava a vida de todos, mas porque dava às sociedades que a praticavam um impulso darwiniano que as outras não tinham: elas podiam ter um número maior de filhos mais rápido (a agricultura alimenta mais bocas e, depois que você para de se mudar o tempo todo, não precisa esperar seu filho aprender a andar para ter outro) e ocupar cada vez mais terras, eventualmente expulsando os não fazendeiros. Como o autor Jared Diamond, defensor da teoria de que "a agricultura foi um erro terrível", explicou em um artigo da revista *Discover* em 1987: "Forçados a escolher entre limitar a população ou tentar aumentar a produção de comida, ficamos com a última opção e acabamos com crises de fome, guerra e tirania." Em resumo, preferimos quantidade à qualidade. Um erro clássico dos humanos.

Porém, além de tudo isso [gesticulando vagamente com a mão para a situação do mundo], a agricultura fez com que seguíssemos um caminho que nos levaria a muitas outras mancadas mais diretas e dramáticas. Foi com a agricultura que começamos a mudar o meio ambiente — afinal de contas, é isso que o cultivo de terras faz. Você pega plantas e as coloca em lugares nos quais elas não pretendiam estar. Você passa a transformar a paisagem. Você tenta se livrar das coisas que não quer para abrir espaço para aquelas que prefere.

Enfim, nós somos *péssimos* em pensar antes de agir.

O mundo de hoje é extremamente diferente daquele em que nossos ancestrais plantaram suas sementes treze mil anos atrás. A agricultura alterou o panorama e deslocou espécies através de continentes, enquanto as cidades, a indústria e nossa tendência natural de jogar fora tudo que não queremos modificaram o solo, o mar e o ar. E, sem querer entrar em uma vibe Não-Podemos-Irritar-a-Mãe-Natureza, às vezes, a natureza simplesmente se cansa de aturar nossas merdas.

E foi isso que aconteceu nas planícies centrais dos Estados Unidos na primeira metade do século XX. Como ocorre com frequência, estava tudo bem no começo. O país se expandia para o oeste e as pessoas viviam sua versão do sonho americano. As políticas do governo incentivavam os cidadãos a se mudarem para lá e estabelecerem fazendas, recebendo lotes gratuitos de terra nas Grandes Planícies. Infelizmente, no começo do século, a maioria das terras boas para cultivo — basicamente as partes com um suprimento decente de água — já tinha dono. Era compreensível que as pessoas não estivessem muito empolgadas para montar uma fazenda em um terreno seco e arenoso, então o governo dobrou o tamanho do terreno seco e arenoso que elas receberiam. "Parece um bom negócio", pensaram os desbravadores.

Se essa disposição para cultivar cada pedacinho de terra não parece, olhando agora, a melhor ideia do mundo, havia um monte de motivos para as pessoas acharem que daria certo. Eles eram divididos em românticos (o apelo nostálgico de uma nação agrícola de pioneiros) e pragmáticos (a necessidade de comida de um país em crescimento). Mas também havia alguns argumentos científicos duvidosos, quase religiosos, como a teoria de que "a chuva segue a colheita": o simples ato de começar uma plantação atrairia nuvens de chuva, transformando o deserto em um lugar fértil e verdejante. De acordo com essa ideia, a única coisa que impedia a expansão do cultivo de alimentos nos Estados Unidos era a falta de determinação. Era como aquele filme do Kevin Costner, mas com plantações de cereais em vez de fantasmas jogando beisebol. Se você plantar, a chuva virá.

O pessoal da época realmente acreditava nisso, então até parece maldoso explicar que o motivo para a chuva aparecer com frequência logo que os fazendeiros se estabeleciam em algum lugar no século XIX, quando a teoria foi desenvolvida, era simplesmente um raro período chuvoso. O aguaceiro não duraria para sempre.

A Primeira Guerra Mundial começou e, de repente, todas aquelas fazendas pareceram uma ótima ideia: a produção de comida na Europa fora interrompida, mas os Estados Unidos conseguiram compensar sua ausência. Os preços eram altíssimos, as chuvas apareciam sempre, e o governo passou a oferecer subsídios generosos para os fazendeiros que plantassem trigo, o que eles obviamente fizeram, ocupando cada vez mais a pradaria.

Porém, depois da guerra, os preços do trigo tiveram uma queda vertiginosa. Agora, se você plantava trigo e não ganhava dinheiro suficiente com a venda do seu produto, a solução era óbvia: plante mais trigo. Os fazendeiros investiram em novos arados mecânicos, estragando ainda mais o solo. Mais trigo significava preços mais baixos, e assim por diante.

E então, as chuvas sumiram. O solo secou, as raízes, como em um passe de mágica, morreram. A terra virou areia, que era carregada pelo vento, se transformando em nuvens enormes e turbulentas.

Essas tempestades de areia assustadoras — as "tempestades negras" que bloqueavam o sol, acabavam com o ar e reduziam a visibilidade a apenas alguns centímetros — se tornaram o símbolo do Dust Bowl. Nos piores anos, no verão, as tempestades ocorriam quase todos os dias, e, mesmo quando o vento parava, as nuvens de areia permaneciam no céu. Às vezes, as pessoas passavam dias sem conseguir ver o sol. O fenômeno tinha uma abrangência impressionante, cobrindo cidades como Washington, D.C. e Nova York com uma neblina grossa de terra, revestindo navios a milhares de quilômetros da Costa Leste com uma fina camada de areia.

A seca e as tempestades continuaram por quase uma década. Eram um problema econômico, e milhões de pessoas tiveram que abandonar seus terrenos. Muita gente não voltou, preferindo seguir ainda mais para o oeste, boa parte se fixando na Califórnia. Alguns trechos da área nunca se recuperaram, nem depois que as chuvas voltaram.

O Dust Bowl é um dos exemplos mais famosos das consequências acidentais da interferência humana no meio ambiente. Porém, da geoengenharia em grande escala a floquinhos minúsculos de plástico, do desmatamento a rios fazendo coisas que rios definitivamente não deviam fazer, ele não é o único.

Vejamos o mar de Aral, por exemplo — mas teremos que ser rápidos, porque ele vai desaparecer daqui a pouco.

Apesar do nome, o mar de Aral não é um mar de verdade. Está mais para um lago de água salgada, só que muito, muito grande — com quase setenta mil quilômetros quadrados, é um dos maiores do mundo (ou, pelo menos, era). O problema é que ele não tem mais esse tamanho todo.

Agora, restam cerca de sete mil metros quadrados, apesar de esse valor estar sempre aumentando e diminuindo. No passado, ele era quase do tamanho da Irlanda, mas agora tem apenas dez por cento da sua dimensão anterior e perdeu quase oitenta por cento de sua água. Ele também não é mais um único lago enorme — agora é, mais ou menos, quatro lagos bem menores. "Mais ou menos" porque um dos lagos pode ter desaparecido para sempre. O que resta do mar de Aral está praticamente morto, um mar-fantasma, sem vida, cercado por esqueletos enferrujados e decadentes de navios há muito tempo encalhados, que agora estão bem longe de qualquer resquício de água.

O que nos leva à pergunta: como é que se acaba com um mar inteiro? (Bem, um lago enorme inteiro.)

A resposta é simples: você desvia os dois rios que costumavam abastecê-lo, porque teve a brilhante ideia de cultivar algodão no deserto. Foi isso que as autoridades soviéticas começaram a fazer na década de 1960, porque queriam muito produzir mais algodão. Então investiram em um projeto enorme para redirecionar a água do Amu Dária (que saía do Uzbequistão e desembocava no mar de Aral) e o Sir Dária (que alcançava o mar através do Cazaquistão), de forma que as planícies totalmente secas do deserto Kyzyl Kum pudessem ser convertidas em uma monocultura que supriria as necessidades de algodão da União Soviética. Bem, sejamos justos, o plano de irrigar as fazendas no Turcomenistão, Cazaquistão e Uzbequistão foi um sucesso parcial — apesar de ter desperdiçado uma quantidade absurda de recursos, porque o problema com os desertos é que eles são bem secos e absorvem tudo, então cerca de setenta e cinco por cento da água desviada dos rios nem chegava às fazendas. (Também havia a questão dos produtos químicos desfolhantes usados no algodão, que causaram taxas estratosféricas de mortalidade infantil e doenças congênitas.)

Porém, enquanto essa ideia facilitou um pouco a vida da nascente indústria do algodão da Ásia Central, ela também devastou o mar de Aral e seus arredores. Não parece ter ocorrido a ninguém — ou as pessoas simplesmente não se importaram — que, quando você interrompe o fluxo de água que abastece um lago, ele vai ficar bem menor, bem rápido.

A partir da década de 1960, e em um ritmo mais acelerado a partir do fim dos anos 1980, o mar de Aral imediatamente começou a diminuir. Apenas um quinto da sua água vinha da chuva, e os rios forneciam o restante. Logo, quando esse abastecimento foi encerrado, não havia água suficiente para repor aquela que evaporava. O volume começou a diminuir, e novas ilhas e istmos surgiram; na virada do milênio, o lago tinha se dividido em dois: uma pequena parte ao norte e uma seção maior ao sul, com uma ilha gigante no meio. Os níveis de água continuavam caindo, então a ilha foi crescendo até que apenas um pequeno filete separasse as metades leste e oeste do mar do sul. Com o tempo, essas metades também se dividiram, e aí, no verão de 2014, imagens de satélite revelaram que a parte leste estava completamente seca, restando apenas um deserto em seu lugar. Agora, esse trecho do lago aparece e some de acordo com o clima.

Isso em si já seria ruim o suficiente, mas o maior problema com o desaparecimento de um lago é que todas as coisas dentro da água... continuam lá. Principalmente o sal. Conforme o mar de Aral diminuía, o sal permanecia onde estava, tornando as águas cada vez mais salgadas e menos capazes de abrigar vida. A densidade do sal aumentou drasticamente, matando praticamente tudo o que vivia ali e destruindo uma indústria pesqueira próspera que produzia mais de sessenta mil empregos. Além disso, os poluentes da indústria e da agricultura se tornaram mais concentrados e foram despejados na superfície exposta das novas terras que surgiam conforme a água se afastava. Como é assim que os desertos funcionam, o vento passou a carregar toneladas e mais toneladas de areia e sal tóxicos da nova paisagem árida e jogá-las nas vilas e cidades que cercavam o antigo lago, onde milhões de pessoas viviam. O número de doenças respiratórias e de câncer disparou.

Talvez o mar de Aral ainda tenha jeito; projetos recentes (e muito caros) para desviar parte da água de volta para ele melhoraram um pouco o pequeno mar do norte, com os peixes reaparecendo gradualmente, apesar do mar do sul não ter muita solução. Porém, ele permanece uma prova da nossa capacidade de achar que podemos mudar completamente a geografia do meio ambiente sem sofrer nenhuma consequência.

Curiosamente, essa não foi a primeira vez que algo assim aconteceu. Não sei se existe um recorde mundial para o "rio mais desviado", mas o Amu Dária deve estar no páreo. Por séculos, intervenções naturais e uma série de regimes humanos mudaram seu curso para que desembocasse no mar de Aral ou no mar Cáspio (ou, às vezes, nos dois). Acredita-se que, no século II EC, ele desembocava no deserto, onde evaporava antes de ser desviado para o mar de Aral em algum momento. No começo do século XIII, uma intervenção especialmente drástica do Império Mongol mudou seu curso de novo (falaremos mais sobre isso em um dos próximos capítulos), enviando pelo menos uma parte para o mar Cáspio, antes que ele voltasse para o mar de Aral em algum momento do século XVII. Na década de 1870, muito antes da União Soviética ser formada, o Império Russo cogitou desviá-lo de novo para o mar Cáspio, argumentando que a água fresca estava sendo desperdiçada em um mar salgado. Só que... não é assim que as coisas funcionam, galera.

Nós começamos a modificar a natureza de formas extremas por causa da agricultura e sofremos efeitos inesperados, mas agora não é só por causa dela que fazemos esse tipo de coisa. A agricultura perdeu destaque para o crescimento da industrialização e para o desejo aparentemente insaciável dos seres humanos de despejar coisas que não queremos mais no meio ambiente, sem qualquer preocupação com os danos.

Um exemplo disso é o rio Cuyahoga, que, no fim de uma manhã quente de verão em 1969, pegou fogo.

Só para deixar claro, esse não é o tipo de coisa que deveria acontecer com um rio. Para qualquer leitor que ainda não entende como os rios funcionam, eles são canais naturais, de tamanho médio ou grande, de água fluente. No geral, a água não é considerada inflamável. Os rios fazem muitas coisas — transportam água de territórios altos para baixos, fornecem uma metáfora para a passagem do tempo, formam braços mortos para as crianças se lembrarem das suas aulas de geografia —, mas pegar fogo não deveria aparecer nessa lista de jeito nenhum.

Porém, foi isso que aconteceu com o rio Cuyahoga. E o pior é que não foi a primeira vez. Nem de perto. O Cuyahoga atravessa lentamente o norte industrial de Ohio antes de dividir a cidade de Cleveland e desembocar no lago Erie. Ele foi descrito por um dos prefeitos de Cleveland no século XIX como "um esgoto aberto que atravessa o centro da cidade" e era tão poluído que pegou fogo treze vezes nos cento e um anos anteriores. Isso aconteceu em 1868, 1883, 1887, 1912 (quando cinco homens morreram nas explosões resultantes), 1922 e 1930. O incêndio de 1936 foi tão ruim que durou cinco dias — coisa que, só para reforçar, não é o comportamento tradicional dos rios. Outros incêndios ocorreram em 1941 e 1948, e um mais destrutivo aconteceu em 1952, quando a mancha de óleo de cinco centímetros de espessura que cobria sua superfície pegou fogo, causando chamas enormes que destruíram uma ponte e um estaleiro, acarretando em mais de um milhão e meio de dólares em prejuízos.

Em comparação ao que aconteceu em 1952, o incidente de 1969 foi bem menor. Causado pela ignição de uma mistura coagulada de óleo, restos industriais e entulho que formavam um iceberg de lixo inflamável, o espetáculo foi impressionante (as chamas eram da altura de um prédio de cinco andares), mas ele foi controlado em meia hora, já que os bombeiros de Cleveland tinham bastante experiência em apagar incêndios de rio a esta altura. Os habitantes da cidade estavam tão acostumados com esse tipo de coisa que o fato da *porcaria do rio pegar fogo* só ganhou cinco meros parágrafos no principal jornal da cidade, o *Cleveland Plain Dealer*, e nem foi uma matéria de capa.

Porém, se em 1969 a sofrida população de Cleveland não se impressionava com rios pegando fogo, o restante da nação americana pensava diferente. As coisas tinham mudado desde a última vez em que o Cuyahoga se incendiara. Afinal de contas, já estávamos na década de 1960, e as estruturas da sociedade estavam sendo abaladas por uma série de novas ideias revolucionárias, como "ter menos guerras", "ser menos racista" e "talvez não foder o mundo inteiro".

Então, quando a revista *Time* ficou sabendo da história do incêndio, algumas semanas depois, foi publicada uma matéria sobre o estado dos rios americanos intitulada "O sistema de esgoto dos Estados Unidos e o preço do otimismo", que incluía esta descrição memorável do Cuyahoga: "Marrom-

-chocolate, borbulhante pelos gases submersos, ele não flui, mas se move feito uma gosma... um esgoto a céu aberto que enche o lago Erie de ondas poluídas." A história conquistou a atenção do país e fez com que as pessoas começassem a exigir mudanças — em parte, graças à imagem impactante que acompanhava a história, uma foto dramática de um barco tomado pelas chamas enquanto bombeiros lutavam para controlar o incêndio. Na verdade, a foto não tinha sido tirada em 1969; era uma imagem de arquivo do incêndio de 1952, porque o mais recente fora apagado tão rápido que os fotógrafos e as equipes de filmagem nem tiveram tempo de chegar ao local. A fotografia não capturara a imaginação nacional em 1952, mas, no final da década de 1960, funcionou bem à beça. Às vezes, é tudo uma questão de mostrar as coisas na hora certa.

As indústrias de Ohio despejavam seus dejetos e os resultados de seus trabalhos no Cuyahoga, sem qualquer peso na consciência, desde o século XIX. Como consequência, a mídia, os políticos e o público constantemente diziam coisas como "Bem, talvez fosse uma boa ideia parar com isso?", mas ninguém fazia nada. Algumas medidas bobas foram implantadas nos anos após a guerra, mas a preocupação maior era manter o rio viável para o transporte de produtos, não evitar que ele se tornasse inflamável.

Ainda assim, talvez seja levemente injusto o fato de o Cuyahoga ter se tornado o símbolo nacional da acomodação humana diante da destruição do meio ambiente (mas só porque, no ano anterior ao incêndio, a cidade de Cleveland finalmente aprovara leis para a despoluição do rio). Alguns políticos locais ficaram meio irritados pelo rio ter sido escolhido como representante da sujeira das vias fluviais americanas (chegando ao ponto de músicos escreverem canções sobre ele). "Nós já estávamos tomando as medidas necessárias para limpar tudo, e aí o incêndio aconteceu", reclamou um deles.

Afinal de contas, Cleveland não tinha o único rio inflamável do país na época. O rio Buffalo pegou fogo em 1968, um ano antes, enquanto o rio Rouge, em Michigan, irrompeu em chamas apenas alguns meses depois, em outubro de 1969. ("Francamente, quando um rio pega fogo, é fácil entender que você tem um problema", lamentou um jornal de Detroit depois do incidente.) O Cuyahoga não era o único rio nos Estados Unidos a pegar fogo várias vezes — no século XIX, o rio Chicago tinha incêndios com tanta regularidade que a população ia assistir ao espetáculo como se fossem os fogos do Dia da Independência —, apesar de certamente merecer o prêmio de rio que mais pegou fogo na categoria "América do Norte".

Mesmo assim, o conto do rio flamejante cumpriu seu dever, incitando ações em nível nacional. O recente movimento ambiental, já incentivado por livros como *Primavera silenciosa*, publicado em 1962 por Rachel Carson, começou a ganhar força. (O primeiro Dia da Terra foi comemorado no ano seguinte.) O Congresso teve que tomar medidas, aprovando, em 1972, a Lei das Águas Limpas. Aos poucos, a situação dos rios americanos melhorou, e agora quase nunca pegam fogo. Em um raro exemplo de final feliz neste livro, as pessoas se esforçaram para melhorar as coisas, e, hahaha, não existe possibilidade alguma de o governo Trump tentar acabar com os padrões de água limpa só porque acha que as indústrias precisam poluir mais os rios. [Levando um dedo à orelha] Ah, acabaram de me informar que foi isso que ele tentou fazer.

O fato de grandes corpos de água pegarem fogo talvez seja um dos exemplos mais dramáticos da capacidade inabalável da humanidade de estragar a natureza ao nosso redor — mas não é o único. O mundo está cheio de sinais que mostram como não conseguimos ir a lugar algum sem fazer uma burrada. Você sabia que existe uma enorme "zona morta" no golfo do México? É um trecho gigantesco de mar que foi arruinado pelos fertilizantes escoados das terras cultivadas no sul dos Estados Unidos, causando um aumento absurdo de algas, que roubam o oxigênio da água e matam tudo ao redor. Bom trabalho, pessoal!

E que tal nossa paixão por jogar as coisas fora sem pensar que elas vão parar em algum lugar, causando um lixão de equipamentos eletrônicos enorme em Guiyu, na China — um famoso cemitério de cinquenta quilômetros quadrados repleto de todas as bugigangas que ninguém mais quer, com pilhas de laptops velhos e smartphones do ano passado? Tecnicamente, Guiyu trabalha com reciclagem, o que é bom! Infelizmente, o lugar também era (até pouco tempo) o inferno na Terra, com nuvens grossas de fumaça preta pairando no ar, metais tóxicos e pesados se entranhando no solo e nas pessoas depois que as sucatas eram lavadas com ácido clorídrico, o cheiro de plástico queimado tomando conta de tudo. (Era assim até o governo chinês começar a ser mais rígido nos últimos anos, criando medidas para melhorar os padrões de segurança e saúde — depois disso, um residente afirmou ao jornal *South China Morning Post* que a qualidade do ar melhorou bastante. "Só dá para sentir o cheiro de metal queimando se você chegar bem perto", contou Yang Linxuan.)

Mas talvez nossa obra mais impressionante seja a Grande Porção de Lixo do Pacífico. É quase poético que, no meio do oceano, exista um monte vasto e rodopiante de porcarias que jogamos fora sem qualquer cuidado — uma área do tamanho do Texas, onde o Giro Pacífico Norte faz nossos resíduos circularem eternamente pelo mar. Constituído principalmente de partículas microscópicas de plástico e fragmentos de equipamentos de pesca descartados, ela é invisível a olho nu, mas muito problemática para a vida marinha. Há pouco tempo, cientistas estimaram que, desde que o uso de plástico se difundiu na década de 1950, fabricamos mais de 8,3 bilhões de toneladas do material. Disso tudo, jogamos 6,3 bilhões de toneladas fora, que agora estão espalhadas pela superfície da Terra. Bom trabalho, humanos.

Porém, se você quiser conhecer o melhor exemplo de como os humanos são capazes de destruir o próprio habitat sem querer, precisamos falar de uma ilha cheia de cabeças gigantes de pedra.

Cortem as cabeças

Quando os europeus chegaram à Ilha de Páscoa em 1722 (uma expedição holandesa idiota estava em busca de um suposto continente não descoberto que nunca existiu), ficaram chocados. Como aquela nação polinésia minúscula e extremamente isolada, sem qualquer tecnologia moderna ou árvores, tinha erguido estátuas enormes e detalhadas — algumas com vinte metros de altura e pesando quase noventa toneladas — que ocupavam boa parte da ilha?

Obviamente, a curiosidade dos holandeses não durou muito: eles logo começaram a seguir seus costumes europeus, o que significava matar vários dos habitantes locais depois de vários mal-entendidos. Com o passar das décadas, outros visitantes europeus apareceram para seguir os costumes que tinham em lugares que acabaram de "descobrir", como introduzir novas doenças mortais, forçar a população local a executar trabalhos escravos e tratar todo mundo como idiota. (Vide o capítulo sobre colonialismo.)

Nos séculos seguintes, os caucasianos bolariam várias teorias sobre como aquelas estátuas misteriosas surgiram em uma ilha cheia de pessoas "primitivas" — teorias que geralmente incluíam travessias improváveis do oceano, partindo de continentes distantes, ou, às vezes, alienígenas. ("Isso é obra de alienígenas" é uma explicação surpreendentemente popular e muito racional para o enigma de como pessoas não brancas conseguiram criar coisas que pessoas brancas não conseguem sequer imaginar como foram feitas.) A resposta para essa questão é, claro, óbvia: os polinésios as colocaram lá.

Na época em que chegaram a Rapa Nui (para usar o nome local), os polinésios eram uma das maiores civilizações do mundo, explorando e ocupando ilhas através de milhares de quilômetros de oceanos. Enquanto isso, com a exceção de alguns vikings, os europeus nunca tinham saído de casa.

Rapa Nui era o lar de uma cultura avançada, com cooperação intergrupal, agricultura intensa, uma sociedade estratificada e pessoas se deslocando para trabalhar: em resumo, todas as merdas que costumamos associar com uma vida digna e produtiva. As estátuas — *moai*, em polinésio — eram a maior conquista de um tipo de arte comum em outras sociedades polinésias. Elas eram importantes para a população de Rapa Nui por motivos espirituais e políticos, honrando os ancestrais cujos rostos exibiam, ao mesmo tempo que serviam como símbolos do prestígio da pessoa que ordenara sua construção.

Então, o mistério mudou: a dúvida não era como as estátuas chegaram ali, mas o que aconteceu com todas as árvores. Porque, independentemente de como as pessoas de Rapa Nui posicionavam as estátuas daquele jeito, eram necessários troncos enormes para movê-las. E como a civilização poderosa que criou os monumentos tinha se reduzido ao pequeno grupo de fazendeiros que recebeu os primeiros marinheiros holandeses com canoas simples (e depois foi morto por eles)?

A resposta é que os habitantes de Rapa Nui tiveram azar e foderam com tudo.

O azar foi que, por acaso, a geografia e a ecologia da ilha eram extremamente vulneráveis aos efeitos do desmatamento. Como Jared Diamond (o cara da teoria de que "a agricultura foi nosso maior erro") explica em seu livro *Colapso* — que fala bastante do pessoal de Rapa Nui —, quando comparada à maioria das ilhas polinésias, a Ilha de Páscoa é pequena, seca, plana, fria e remota: tudo que dificulta a reaparição natural das árvores derrubadas.

E eles foderam com tudo porque, enquanto tentavam construir casas melhores, canoas melhores e infraestruturas melhores para transportar as estátuas, cortaram a floresta toda, talvez sem nem se darem conta de que as árvores não nasceriam de novo — até, de repente, não restar mais nada. Foi um caso típico da "tragédia dos comuns". Ninguém que cortasse uma única árvore era responsável pelo problema até que fosse tarde demais: e, então, a culpa era de todo mundo.

As consequências arrasaram a sociedade de Rapa Nui. Sem as árvores, era impossível construir as canoas que permitiam que pescassem em alto-mar; o solo desprotegido e sem raízes começou a sofrer erosão do vento e da chuva; nos frios invernos, a população era forçada a queimar boa parte da vegetação restante para se aquecer.

E, conforme a situação foi piorando, a competição entre os grupos pelos recursos cada vez mais escassos foi se acirrando. Isso parece ter levado a uma decisão que foi tanto trágica quanto estranhamente previsível, considerando como as pessoas costumam agir em situações desesperadas em que estão ávidas por reconhecimento social, confiança ou apenas algum tipo de afirmação de que não cometeram um erro terrível. Eles não pararam. Na verdade, se dedicaram ainda mais ao projeto. Parece que os habitantes de Rapa Nui deram tudo de si para continuar a construir estátuas cada vez maiores, porque... Bem, é basicamente isso que os seres humanos fazem quando se deparam com um problema que parece não ter solução. As últimas estátuas entalhadas na ilha nem saíram da pedreira, enquanto outras ficaram caídas no meio do caminho, jamais chegando ao seu destino, conforme o projeto ia por água abaixo.

Os polinésios não eram menos inteligentes que nós; eles não eram primitivos nem desconheciam os problemas do meio ambiente ao seu redor. Se você acha que parece bobeira uma sociedade se deparar com um potencial desastre ambiental, mas ignorar o problema e continuar fazendo as mesmas coisas que causaram a situação, então... É, oi. Aaaacho que seria bom você dar uma olhadinha em volta (E depois disso, por favor, diminua seu termostato e vá reciclar seu lixo.)

Em *Colapso*, Jared Diamond questiona: "O que a pessoa que cortou a última palmeira da Ilha de Páscoa disse durante o ato?" Essa é uma ótima pergunta, e é bem difícil chegar a uma resposta. Talvez tenha sido a versão polinésia de "dane-se".

Porém, talvez fosse melhor pensar o que passou pela cabeça da pessoa que cortou a penúltima árvore, ou a antepenúltima, ou a anteantepenúltima? Se formos nos guiar pelo restante da história da humanidade, é bem provável que fosse algo parecido com "O problema não é meu, cara".

SETE LUGARES MARAVILHOSOS QUE VOCÊ NUNCA VERÁ, PORQUE FORAM DESTRUÍDOS PELOS HUMANOS

O Paternon

Foi uma das joias da Grécia Antiga até que, em 1687, os otomanos resolveram usá-lo como armazém de pólvora durante uma guerra contra Veneza. Só bastou um tiro certeiro dos venezianos — e lá se foi o Paternon.

Templo de Ártemis

Foi uma das Sete Maravilhas do Mundo Antigo original até que, em 356 AEC, um sujeito chamado Heróstrato resolveu botar fogo em tudo porque queria chamar atenção.

Lago Boeung Kak

Foi o maior e mais belo lago da capital cambojana, Phnom Penh, até que decidiram enchê-lo de terra para construir um condomínio de luxo. Hoje em dia, é uma poça.

Budas de Bamiyan

As magníficas estátuas de Sidarta Gautama na região central do Afeganistão, com mais de trinta metros de altura, foram explodidas pelo Talebã em 2001 por serem "ídolos". PQP.

Nohmul

A grande pirâmide maia, uma das ruínas mais bem-preservadas de Belize, foi destruída em 2013 por alguns operários que queriam cascalho para a estrada que estavam construindo ali perto.

Rio Slims

Foi um vasto rio no território Yukon, no Canadá, que desapareceu completamente em um intervalo de quatro dias, em 2017, por conta do aquecimento global, que diminuiu a geleira que o abastecia.

Árvore do Ténéré

A mais famosa e mais isolada árvore do planeta, sozinha no meio do deserto do Saara — até 1973, quando, apesar de ser a única árvore em um raio de quatrocentos quilômetros, um motorista bêbado conseguiu jogar seu caminhão contra ela.

3

A vida, err, continua

Junto com a novidade das plantações, os primeiros fazendeiros, há milhares de anos, decidiram fazer outra coisa que mudaria o mundo de maneiras estranhas e imprevisíveis: passaram a domesticar animais. Na verdade, é quase certo que o primeiro animal domesticado tenha existido alguns milhares de anos antes do desenvolvimento da agricultura — e é bem possível que tenha sido mais por sorte do que por algum plano inteligente. Os cachorros foram os primeiros animais domésticos, e há sinais de que isso aconteceu entre quarenta e quinze mil anos atrás, na Europa, Sibéria, Índia, China ou algum outro lugar (a incerteza vem do fato de que o DNA dos cachorros é meio bagunçado, já que eles não veem problema algum em trepar com qualquer outra espécie canina que apareça). Apesar de ser possível que o processo de domesticação tenha começado com algum antepassado caçador-coletor mais empreendedor acordando e dizendo "Vou fazer amizade com um lobo, e ele vai ser um bom menino", é mais provável que os cachorros tenham sido, pelo menos no começo, autodomesticados. A história mais plausível é que os lobos simplesmente começaram a nos seguir porque tínhamos comida e tendíamos a descartar os restos. Com o tempo, eles foram se acostumando a viver junto com as pessoas, enquanto as pessoas percebiam que lobos amigáveis eram bem úteis para proteção e caça, além de serem a coisa mais fofa do mundo.

Mas, quando a agricultura ganhou força de verdade, os humanos logo viram que aquilo que eles estavam fazendo com as plantas também poderia dar certo com os animais, e ninguém mais precisaria perder tempo caçando. Cerca de onze mil anos atrás, cabras e ovelhas foram domesticadas na Mesopotâmia. Cinco mil anos depois, criações de gado surgiram na região onde hoje é a Turquia e, mais tarde, no atual Paquistão. Porcos também começaram a ser domesticados em áreas diferentes, cerca de nove mil anos atrás — na China e na Turquia. Na estepe euroasiática, provavelmente nos arredores do Cazaquistão, os cavalos foram domesticados entre seis ou cinco mil e quinhentos anos atrás. Enquanto isso, no Peru, cerca de sete mil anos atrás, os humanos domaram os primeiros porquinhos-da-índia, o que pode até parecer menos impressionante, mas foi bem maneiro.

A domesticação de animais teve muitas vantagens: uma fonte fixa de proteína, lã para roupas e esterco para fertilizar plantações. É claro que nem tudo foi um mar de rosas, como mencionamos no capítulo anterior. A proximidade com os animais facilitava bastante a transmissão de doenças para os humanos; a criação de cavalos e vacas pode ser associada com o começo da desigualdade econômica; os usos militares de cavalos e elefantes tornou a guerra mais... bélica.

Além disso, o processo de domesticação deixou bem claro que nós éramos os mestres da natureza e que, a partir daquele momento, os animais e as plantas obedeceriam a nós. Infelizmente, como veremos neste capítulo, não é bem assim que a banda toca. A nossa crença persistente de que podemos obrigar outros seres vivos a fazer o que queremos não costuma dar certo.

Por exemplo, vamos voltar ao ano de 1859, quando Thomas Austin estava sentindo saudade de casa.

Thomas era inglês, mas chegara à colônia da Austrália durante a adolescência. Algumas décadas depois, ele se tornara um próspero latifundiário e criador de ovelhas, comandando uma vasta extensão de terra de vinte e nove mil acres nos arredores do estado de Victoria. Lá, as conquistas de seu país ancestral eram replicadas com entusiasmo: amante dos esportes, ele criava e treinava cavalos de corrida, e transformou boa parte do seu terreno em uma reserva silvestre e em um espaço para a caça. A propriedade era tão popular entre a alta sociedade australiana que uma das presenças mais assíduas era a do duque de Edimburgo, que frequentava o local quando estava de passagem pelo país. Algumas décadas depois, quando Austin morreu, seu obituário elogioso dizia que "seria impossível encontrar um representante melhor dos antigos cavalheiros interioranos britânicos, nem aqui nem em casa".

Sua determinação em viver como um tradicional proprietário de terras do lado oposto do mundo fez com que ele não medisse esforços para trazer um pouquinho da Inglaterra para as antípodas. E foi aí que, infelizmente, deu merda.

Acontece que Austin resolveu que suas caçadas ficariam bem melhores se ele pudesse matar animais ingleses clássicos (cangurus, pelo visto, não bastavam). Então, ele pediu para seu sobrinho enviar faisões, perdizes, lebres, melros e tordos. E, mais importante, importou vinte e quatro coelhos ingleses. "A introdução de alguns coelhos", disse Austin, "não faria mal algum e poderia ser uma lembrança de casa, além de servir para a caça".

Ele estava muito, muito enganado sobre a parte de que aquilo "não faria mal algum". Porém, justiça seja feita, os animais realmente serviriam para a caça.

Austin não foi a primeira pessoa a levar coelhos para a Austrália, mas seus animais foram, em grande parte, responsáveis pela catástrofe que estava prestes a acontecer. O problema dos coelhos é que eles se reproduzem como... bem, como coelhos. O tamanho do pepino já devia ser óbvio porque, em 1861, apenas dois anos depois do carregamento inicial chegar, ele se vangloriou em uma carta dizendo "tenho milhares de coelhos ingleses selvagens".

O número não permaneceu na categoria do milhar. Uma década depois de serem importados por Austin, dois milhões de coelhos eram mortos por ano em Victoria, sem abalar o crescimento da sua população. O exército animal logo se espalhou por todo o estado, se alastrando em uma média de cento e trinta quilômetros por ano. Eles foram encontrados em Nova Gales do Sul, em 1880; na Austrália Meridional e em Queensland, em 1886; na Austrália Ocidental, em 1890; e no Território do Norte, em 1900.

Na década de 1920, no auge da praga, era estimado que houvesse dez milhões dos animais no país. Era o equivalente a três mil coelhos a cada dois quilômetros quadrados. A Austrália estava, sem brincadeira, coberta de coelhos.

Os pequenos mamíferos não apenas se reproduziam: eles comiam também (se reproduzir dá fome, convenhamos). Os coelhos detonaram a vegetação local, extinguindo muitas espécies de plantas. Além disso, a competição por comida quase exterminou vários animais australianos, ao mesmo tempo que, sem as raízes das plantas para segurar o solo, a terra começou a ruir e a sofrer erosões.

O tamanho do problema já estava claro na década de 1880, e as autoridades não sabiam o que fazer. Nenhuma medida parecia capaz de conter o ataque orelhudo. O governo de Nova Gales do Sul publicou um anúncio levemente desesperado no jornal *The Sydney Morning Herald*, prometendo pagar "a soma de vinte e cinco mil libras a qualquer indivíduo ou indivíduos que tornem público algum método ou processo ainda desconhecido na Colônia para a exterminação eficaz de coelhos".

Com o passar das décadas, os australianos tentaram prender, envenenar e matar os bichos. Tentaram botar fogo, fumigar suas tocas ou colocar furões nos túneis para forçá-los a sair. Na década de 1900, construíram uma cerca com mais de mil e seiscentos quilômetros para tentar impedir que os coelhos avançassem ainda mais para a Austrália Ocidental — mas isso não deu certo, porque os coelhos conseguem cavar túneis e, pelo visto, escalar cercas.

O problema da Austrália é um dos exemplos mais famosos de algo que só entendemos tarde demais: ecossistemas são coisas ridiculamente complexas, e é arriscado mexer com eles. Os animais e as plantas não fazem o que a gente quer quando resolvemos tirá-los de um lugar e colocá-los em outro. "A vida", disse um grande filósofo, "se liberta; ela se expande para novos territórios e derruba barreiras — e isso é sofrido, talvez até perigoso. Mas, ah, bem, é assim que as coisas são". (Tudo bem, foi Jeff Goldblum quem falou isso em *Jurassic Park*. Como eu disse, um grande filósofo.)

Ironicamente, depois da idiotice inicial de levar coelhos para a Austrália, a eventual solução também foi uma idiotice. Por várias décadas, os cientistas locais tentavam usar recursos biológicos contra os bichos: a introdução de doenças na esperança de matá-los, sendo a tentativa mais famosa aquela em que usaram mixomatose na década de 1950. Isso deu certo por um tempo e reduziu dramaticamente a população de coelhos, mas não durou muito. Eram necessários mosquitos para transmitir o vírus, então a experiência não foi muito eficaz nas áreas em que eles não se reproduziam; com o tempo, os coelhos sobreviventes desenvolveram resistência à doença, e sua população voltou a aumentar.

Porém, os cientistas continuaram pesquisando novos agentes biológicos. Na década de 1990, começaram a se dedicar a um vírus que causaria uma doença hemorrágica nos coelhos. Como fazer experiências com vírus é algo perigoso, a pesquisa ocorria em uma ilha ao sul do país, para diminuir o risco do vírus sair do laboratório e se espalhar pelo continente. Fique à vontade para adivinhar o que aconteceu.

Pois é. Em 1995, o vírus saiu do laboratório e se espalhou pelo continente. A vida se libertou, nesse caso, pegando carona em alguns mosquitos. Porém, depois de acidentalmente soltarem um patógeno mortal (para coelhos) no mundo, os cientistas ficaram felizes ao observar que... parecia estar funcionando. Nos vinte anos desde que o vírus da doença hemorrágica caiu no mundo por acidente, a quantidade de coelhos na Austrália Meridional diminuiu bastante, ao mesmo tempo que a vegetação ressurgiu e muitos dos animais quase extintos aumentaram sua população. Só vamos torcer para que a doença não tenha outros efeitos colaterais.

Os coelhos da Austrália não são os únicos a provar que, às vezes, a gente deve deixar os animais e as plantas no lugar em que os encontramos.

Outro exemplo é o perca-do-nilo, um predador voraz de quase dois metros que, como já diz o nome, vem do Nilo. No entanto, os colonizadores britânicos da África Oriental tinham grandes planos para ele. Esse pessoal achou que seria uma ótima ideia colocá-los no lago Vitória, o maior lago da África. O lago Vitória já era cheio de peixes, e os pescadores locais estavam muito satisfeitos com o que tinham, mas os britânicos acharam que podiam melhorar a situação. Na época, o maior grupo de peixes no local era uma variedade de espécies de ciclídeos, aqueles peixinhos adoráveis amados por donos de aquários. Para o azar dos ciclídeos, eles eram detestados pelos oficiais britânicos, que os chamavam de "peixe lixo".

Então foi decidido que o lago Vitória ficaria muito melhor com peixes maiores e mais interessantes. Isso melhoraria a experiência da pesca, concluíram. Muitos biólogos alertaram que a ideia não daria muito certo, mas, em 1954, os percas-do-nilo foram introduzidos no lago. E aí eles fizeram aquilo que faziam de melhor: comeram todas as outras espécies.

Os oficiais britânicos estavam certos sobre um detalhe: a experiência melhorou. A indústria pesqueira prosperou, já que o perca-do-nilo se mostrou muito popular, tanto como alimento a ser vendido, quanto como uma presa divertida para a pescaria. Porém, enquanto o valor da indústria aumentou em quinhentos por cento, criando centenas de milhares de empregos, a variedade de animais no lago Vitória despencou. Mais de quinhentas espécies se extinguiram, incluindo cerca de duzentas famílias dos pobres ciclídeos.

Não são apenas os animais que saem de controle. O kudzu, uma videira comum na Ásia, foi amplamente introduzida nos Estados Unidos na década de 1930, em uma tentativa de resolver um problema que já mencionamos: o Dust Bowl. Os encarregados esperavam que a planta, que cresce bem rápido, ajudasse a unir o solo e prevenisse novas erosões. E isso aconteceu mesmo. Infelizmente, ela também tinha muito talento para cobrir e sufocar outras plantas e árvores, assim como casas, carros e tudo mais que aparecesse no caminho. A planta se espalhou tanto por aquela região do país que ganhou o apelido de "a videira que engoliu o Sul".

Mas sejamos justos com o kudzu: ele não é a planta demoníaca que a mitologia sugere, e estudos recentes descobriram que ele ocupa menos espaço do que se acredita. Ainda assim, é bem fácil encontrá-lo em áreas em que ele não estava oitenta anos atrás, e o governo americano ainda o classifica como uma "erva daninha nociva".

Porém, talvez agora seja a hora de começar a sentir pena dele, porque a espécie invasora ganhou uma espécie invasora para chamar de sua. Em algum momento de 2009, a praga do kudzu japonês conseguiu atravessar o Pacífico, e deve ter adorado chegar a Atlanta e descobrir que havia um monte de kudzu pronto para ser devorado. No intervalo de três anos, ele se espalhou por três estados, destruindo quase um terço da biomassa da videira. Caso você esteja pensando que "isso é bom, problema resolvido", a situação não é tão simples: a praga também destrói plantações de soja, uma grande fonte de renda de muitos dos estados afetados. A solução acidental para um problema pode acabar sendo, por si só, outro problemão.

Nosso aparente desejo de colocar seres vivos em lugares onde eles não deveriam estar não se resume às espécies que já existem: a gente inventa novas, às vezes. Foi isso que aconteceu em 1956, quando o cientista brasileiro Warwick Estevam Kerr importou algumas abelhas-rainhas africanas da Tanzânia e tentou cruzá-las com abelhas europeias — a ideia era que, combinando suas características, eles poderiam criar uma variedade mais adequada para o ambiente brasileiro.

Infelizmente, depois de um ano de experimentos, o inevitável aconteceu. Um apicultor do laboratório de Kerr, em Rio Claro, uma cidade ao sul de São Paulo, teve um péssimo dia no trabalho. Vinte e seis abelhas-rainhas da Tanzânia escaparam, seguidas de perto por seus enxames pessoais de abelhas europeias, e se acomodaram pelo país. As rainhas começaram a cruzar com qualquer macho que aparecesse, produzindo híbridos com várias espécies diferentes. Essas novas abelhas "africanizadas" logo se espalharam pela América do Sul, passando pela América Central e chegando aos Estados Unidos. Elas são menores e têm menos veneno do que suas progenitoras, mas são mais agressivas ao defenderem as colmeias — causando dez vezes mais ferroadas. Mais de mil pessoas já morreram como resultado de seus ataques, e é por isso que ganharam o nome de "abelhas assassinas". O que é injusto. Elas só são incompreendidas.

Porém, nos anais de como os seres humanos só aprendem do jeito mais difícil que ecossistemas são complicados e que destruir o equilíbrio delicado da natureza tem consequências, duas histórias se destacam. Em lados opostos do mundo, com várias décadas de diferença, um ditador fanático e um excêntrico amante da literatura cometeram erros diferentes, mas que tiveram repercussões profundas. E ambos ocorreram pelo mesmo motivo: eles subestimaram demais os pássaros.

Não subestime os pássaros, parte I: Uma praga além do necessário

A campanha das Quatro Pragas de Mao Tsé-Tung deve ter sido a política de saúde pública bem-sucedida mais desastrosa de todos os tempos. Ela uniu todos os setores da sociedade em prol dos seus objetivos, que foram cumpridos tão bem que superaram as expectativas — e é provável que metade desses objetivos tenha causado grandes melhorias na saúde da nação. Talvez você pense que dois, em um total de quatro, não seja tão ruim assim.

A questão é que o quarto objetivo acarretou milhões de mortes.

O problema foi causado por aquela mesma incapacidade de perceber que ecossistemas são complicados e imprevisíveis. Ah, sim, vamos colocar uma nova espécie aqui, talvez tirar algumas de lá. Isso vai melhorar as coisas. E aí, as Consequências Inesperadas se encontram com seus amigos, Efeitos Indiretos e Fracasso Progressivo, e dão uma festa de arrogância.

Quando os comunistas de Mao tomaram o poder na China, no final de 1949, o país era assolado por uma crise na área da saúde. Doenças contagiosas como cólera, peste e malária infectavam o povo a torto e a direito. O objetivo de Mao era transformar a nação amplamente agrícola, saída apenas algumas décadas antes do feudalismo, em uma potência industrial moderna, e para que isso acontecesse de forma rápida, seria necessário tomar providências.

Algumas soluções eram óbvias e sensatas — programas de vacinação em massa, melhorias no saneamento básico, esse tipo de coisa. Os problemas começaram quando Mao resolveu culpar os animais pelos sofrimentos do país.

Mosquitos transmitiam malária, ratos transmitiam peste; isso era inegável. Assim, foram criados planos nacionais para reduzir a quantidade desses animais. Infelizmente, Mao não parou por aí. Se ele tivesse feito a campanha das Duas Pestes, estaria tudo bem. Só que ele resolveu acrescentar mais duas espécies (sem se dar ao trabalho de fazer algo tipo pedir a opinião de especialistas e tal). As moscas deviam ser exterminadas porque eram irritantes. E a quarta praga? Pardais.

Segundo o raciocínio por trás da decisão, o problema dos pardais é que eles comiam grãos. Um único pardal era capaz de ingerir até quatro quilos e meio de grãos por ano — comida que poderia ser usada para alimentar o povo chinês. O governo fez as contas e determinou que a cada um milhão de pardais exterminados, mais de sessenta mil pessoas seriam sustentadas. Quem se oporia a esse argumento?

A campanha das Quatro Pragas começou em 1958 e foi um esforço impressionante. Pôsteres espalhados pelo país inteiro incitavam todos os cidadãos, dos mais jovens aos mais velhos, a cumprir seu dever e destroçar o máximo possível de animais. "Os pássaros", declaravam os anúncios, "são animais públicos do capitalismo". As pessoas se armavam com tudo, de mata-moscas a rifles, e crianças em idade escolar aprendiam a atirar em todos os pardais que vissem pela frente. Multidões jubilosas antipardais ocupavam as ruas, balançando bandeirinhas enquanto se uniam à batalha contra as aves. Ninhos foram destruídos, e os ovos, quebrados, ao mesmo tempo que os cidadãos batiam panelas para afastar as aves das árvores, até que, exaustas, elas caíssem mortas do céu. Só em Xangai, estima-se que cerca de duzentos mil pardais tenham morrido no primeiro dia de ataques. "Nenhum guerreiro irá desistir", escreveu o jornal *People's Daily*, "até que a batalha seja vencida".

E a batalha foi mesmo vencida. Em relação aos objetivos declarados, foi um triunfo — uma vitória esmagadora para a humanidade contra as forças de pequenos animais. No total, caulcula-se que a campanha das Quatro Pragas tenha matado um bilhão e meio de ratos, onze milhões de quilos de mosquitos, cem milhões de quilos de moscas... e um bilhão de pardais.

Infelizmente, logo ficou claro por que isso era ruim: todos aqueles pardais não comiam apenas grãos. Eles também comiam insetos. Gafanhotos, especificamente.

Percebendo-se subitamente livres de um bilhão de predadores que diminuíam sua população, os gafanhotos chineses comemoraram como se todos os dias fossem uma festa de Ano-Novo. Ao contrário dos pardais — que só comiam um pouquinho de grãos de vez em quando —, os gafanhotos arrasaram as colheitas da China em vastas nuvens devoradoras e implacáveis. Em 1959, o governo finalmente conversou com um especialista de verdade (o ornitólogo Tso-hsin Cheng, que tentara avisar às pessoas que aquilo era uma péssima ideia), e os pardais foram substituídos pelas traças na lista de animais a serem exterminados. Porém, já era tarde demais; é impossível substituir de uma hora para a outra um bilhão de pardais que você resolveu exterminar sem motivo algum.

Só para esclarecer, a morte dos pardais não foi a única causa da grave crise de fome que assolou a China no período entre 1959 e 1962 — uma série de decisões terríveis causou essa situação. Outros motivos incluíram o partido ordenando que os fazendeiros trocassem seus tradicionais cultivos de subsistência por colheitas que renderiam mais, um monte de novas técnicas agrícolas destrutivas baseadas na pseudociência do biólogo soviético Trofim Lysenko e o fato de o governo central confiscar toda a produção e distribuí-la longe das comunidades locais. Os incentivos para que os funcionários públicos de todas as esferas de poder só relatassem resultados positivos levou os líderes do país a se iludirem, pensando que Tudo-Estava-Bem e que a nação tinha bastante comida. E aí, quando o país passou vários anos sofrendo com o rigoroso clima (inundações em algumas áreas, seca em outras), não havia nenhuma reserva de alimentos para ajudar.

Porém, o assassinato dos pardais e a subsequente destruição das colheitas por pragas de verdade foram componentes cruciais do desastre que se seguiu. Estima-se que a fome tenha matado entre quinze a trinta milhões de pessoas, e o fato de que nós *nem temos certeza* se quinze milhões de pessoas morreram mesmo só deixa a situação ainda mais horrível.

Era de se esperar que a lição básica por trás disso tudo — não tente foder com a natureza a menos que você tenha muita certeza de quais serão as consequências; e, mesmo assim, não é uma boa ideia — seria marcante. Mas parece que não. Em 2004, o governo chinês ordenou a exterminação em massa de mamíferos, de civetas a texugos, em resposta ao surto da SARS*, sugerindo que a capacidade dos seres humanos de aprender com seus erros continua tão frágil como sempre.

---

* Síndrome respiratória aguda grave [N. da E.].

Não subestime os pássaros, parte II: Shakespeare no parque

Eugene Schieffelin cometeu mais ou menos o mesmo erro de Mao, mas ao contrário. Enquanto o problema chinês foi motivado por um misto de objetivos em prol da saúde pública e decretos ditatoriais, a confusão que o americano provocou no seu ecossistema — um desastre natural que se perpetua até hoje — foi provocada apenas por um capricho.

As ações de Schieffelin em uma fria manhã de primavera, em 1890, resultaram na disseminação de doenças, em um prejuízo de centenas de milhões de dólares com a destruição de safras ao longo do ano e até na morte de sessenta e duas pessoas em um acidente aéreo. O que é bem grave para alguém que só queria mostrar sua paixão por Shakespeare.

Schieffelin era um farmacêutico bem-sucedido que vivia em Nova York, mas, apesar de todo o potencial para mancadas poderosas exercendo essa profissão, sua contribuição para o caos ambiental não foi causada por seu trabalho, mas por seus hobbies. Ele era um grande entusiasta de duas modas da época: a devoção total à obra de Shakespeare e a inserção de espécies em novos habitats.

Naquele tempo, o Ocidente tinha redescoberto Shakespeare,e, como resultado, o Bardo atingira um status na cultura popular quase equivalente ao nível de fanatismo dedicado a Beyoncé nos dias de hoje. Enquanto isso, baseados em um conceito francês, grupos chamados "sociedades de aclimatização" começaram a se espalhar por países ocidentais — benfeitores ricos que se dedicavam a trazer, voluntariamente, espécies estrangeiras de plantas e animais às suas nações. (Isso aconteceu muitos anos antes de as pessoas perceberem como essa ideia podia ser péssima.)

O erro de Schieffelin ganhou força porque ele era o presidente da Sociedade Americana de Aclimatização, com sede em Nova York, e também porque amava Shakespeare de paixão. Então, nosso amigo bolou um plano maravilhoso e excêntrico: haveria uma forma melhor de honrar o maior poeta da língua inglesa do que introduzir nos Estados Unidos cada uma das espécies de pássaros citadas nas peças do Bardo? A Sociedade Americana de Aclimatização deu início aos trabalhos.

No começo, eles se depararam com vários fracassos: aves como lavercas, priolos e tordos foram soltas na selva (bem, pela cidade), mas não se aclimataram, morrendo depois de passarem alguns anos no ambiente hostil. Mas então, no dia 6 de março de 1890, Eugene Schieffelin e seus assistentes foram para o Central Park e abriram várias gaiolas que guardavam, no total, sessenta estorninhos europeus.

Não podemos culpar Shakespeare, mas, se ele tivesse escrito uma hipérbole diferente no Ato I, Cena III de *Henrique IV, Parte I*, as coisas teriam sido bem diferentes. Nessa cena, o personagem Hotspur, descrevendo sua determinação em pressionar o rei para que pague o resgate de seu cunhado, Mortimer (apesar de o rei ter proibido qualquer menção ao homem), diz:

> *Não,*
> *Hei de ensinar um estorninho a falar*
> *Apenas o nome de Mortimer, e dar-lhe-ei de presente*
> *Para exacerbar para sempre sua cólera.*

Essa foi a única vez que Shakespeare mencionou estorninhos. A ave não aparece em nenhum outro trabalho seu. Mas uma referência foi suficiente para Eugene.

Os primeiros sessenta passarinhos foram soltos em 1890, e, em 1891, Schieffelin resolveu soltar mais quarenta. No começo, a situação não parecia promissora para os primeiros estorninhos americanos — após alguns invernos rígidos em Nova York, apenas trinta e dois dos cem primeiros continuavam vivos, e parecia que eles seguiriam o caminho de seus azarados antecessores. Porém, estamos falando de criaturas resistentes e versáteis, capazes de se adaptar a novos ambientes e de forçar a barra para sobreviver. Em uma ironia impressionante, um pequeno bando se protegeu do rigoroso clima sob as calhas do Museu Americano de História Natural — o prédio dedicado à preservação da história natural da nação ajudou, sem querer, a alterar tal história de forma drástica. Porque, aos poucos, a população de estorninhos cresceu. E cresceu. E cresceu mais um pouco.

Menos de dez anos depois, já era comum vê-los por Nova York. Nos anos 1920, eles já tinham se espalhado por metade do país. Na década de 1950, chegaram à Califórnia. Hoje, existem duzentos milhões dessas pragas vivendo na América do Norte, e é possível encontrá-los do México ao Alasca.

Eles viraram, nas palavras do *The New York Times*, "um dos pássaros mais caros e nocivos do nosso continente" — ou, como o *Washington Post* descreveu certa vez, "a ave mais odiada da América do Norte, sem dúvida". Deslocando-se em enormes revoadas que reúnem até um milhão de pássaros, os estorninhos destroem colheitas em grande escala, sem fazer distinção entre arrasar plantações de trigo ou de batata, e detonam reservas de grãos. São animais agressivos, que perseguem espécies de aves nativas, além de espalharem doenças que afetam tanto humanos quanto o gado, de infecções fungais a salmonela. E cagam em tudo quanto é canto. O cheiro é horroroso.

Seus bandos gigantescos também são um perigo para viagens aéreas — em 1960, em Boston, cerca de dez mil estorninhos bateram em um avião que decolava do aeroporto Logan, destruindo os motores, causando sua queda e matando sessenta e dois dos setenta e dois passageiros a bordo.

Eles são uma praga, um perigo sanitário e uma despesa cara para a economia agrícola da América do Norte. O único motivo para estarem presentes no continente é porque um sujeito maneiro de classe média alta se dedicava demais aos seus hobbies e não parou para pensar nas possíveis consequências de seus atos. Se ele gostasse de participar de maratonas, fazer cervejas artesanais em casa ou pintar aquarelas, nada disso teria acontecido.

Mas vamos tentar enxergar as coisas pelo lado positivo? Talvez os estorninhos nos ajudem a controlar a população de insetos.

CINCO ESPÉCIES QUE COLOCAMOS EM LUGARES ONDE NÃO DEVERÍAMOS COLOCAR

Gatos

Todo mundo ama gatos. Menos na Nova Zelândia, onde não existiam mamíferos predadores antes de nós os levarmos para lá — o que foi uma péssima notícia para as espécies locais, principalmente para o kakapo, um papagaio gordinho que não consegue voar.

Sapo-cururu

Assim como os coelhos, os sapos-cururus (nativos da América do Sul) foram levados à Austrália com boas intenções — neste caso, para comer uma praga, os besouros-da-cana. Eles não comeram os besouros. Mas devoraram tudo que encontraram pela frente.

Esquilo-cinzento

Quando os esquilos-cinzentos americanos foram levados para a Grã-Bretanha e para a Irlanda, eles imediatamente começaram a arrumar confusão com os esquilos-vermelhos nativos, praticamente os levando à extinção.

Mosquito Tigre Asiático

Um mosquito bem irritante e que provavelmente dissemina doenças (ele se alimenta em qualquer momento do dia, ao contrário de muitas outras espécies), é conhecido pela forma como atravessou continentes: saindo do Japão e chegando aos Estados Unidos, em 1985, em um carregamento de pneus usados.

Cabeça-de-cobra

Veja bem, se você vai trazer uma espécie asiática para os Estados Unidos, será que poderia evitar peixes carnívoros vorazes que conseguem andar na terra e sobreviver fora d'água por dias? Essa ideia nunca daria certo.

4

Siga o líder

Conforme as sociedades humanas foram ficando mais complexas, com vilarejos virando povoados e depois cidades, fomos forçados a enfrentar um problema que é comum a qualquer grande grupo com uma tarefa complicada a cumprir — seja ela fundar uma civilização ou pensar no cardápio do jantar. No final das contas, você vai precisar de alguém que tome uma decisão.

Não sabemos muito sobre a organização das primeiras sociedades humanas. Levando em consideração nossa natureza, é fácil imaginar que sempre existiram pessoas que gostavam de mandar em todos, porém não temos certeza de quando isso deixou de ser um hobby e passou a ser um trabalho de verdade.

Mas sabemos (como já foi mencionado) que a humanidade inventou, um pouco depois do início da agricultura, a desigualdade. Parabéns, humanos. Os arqueólogos perceberam isso por conta do tamanho das casas dos primeiros assentamentos. No começo, todas eram muito similares. As sociedades pareciam bastante igualitárias. Porém, depois dos primeiros milhares de anos de colheitas, surgiram elites com casas maiores e mais chiques que as das outras pessoas. Nas Américas, o crescimento da desigualdade pareceu se estabilizar depois de mais ou menos dois mil e quinhentos anos de agricultura; porém, no Velho Mundo, ela continuou se ampliando. Por quê? Uma das explicações possíveis é que o Velho Mundo tinha animais de tração como cavalos e bois, que podiam ser usados no transporte e na aragem do solo, facilitando a criação de uma fortuna pessoal que seria passada de geração em geração. E, assim, surgiu a concentração de riqueza.

Em determinado momento, essas elites pararam de ser só mais ricas que todo mundo e começaram a, de fato, mandar nas pessoas. É provável que líderes espirituais ou religiosos tenham sido o mais próximo de governantes que as primeiras cidades-Estados tinham. Mas, então, cerca de cinco mil anos atrás, algo mudou no Egito e na Suméria (que hoje é o Iraque), e nos deparamos com os primeiros exemplos do governo favorito da galera — monarquias dinásticas absolutistas! Existe uma tábua de argila sumária muito útil que lista todos os reis (e uma única rainha solitária) por ordem, o que significa que ela pode ser um registro dos primeiros soberanos da história humana. No entanto, muito do que está escrito nela é meio inútil. O primeiro rei mencionado, Alulim, reinou por vinte e oito mil e oitocentos anos, o que, francamente, parece improvável, considerando que hoje em dia ele ainda teria mais vinte e dois mil anos para governar.

Por que a humanidade vive optando pela tática "deixar um cara responsável por tudo" no processo de tomada de decisões? Claro, talvez as pessoas não tivessem muitas opções no passado: os primeiros soberanos devem ter tomado o poder à força ou usado outra forma de coerção. Mas sua ascensão também parece estar ligada à guerra — a dinastia faraônica no Egito começa quando a região é unificada por conquistas, e os reis da Suméria surgem no período em que os conflitos entre as cidades aumentam. Pouco depois, em 2334 AEC, após algumas centenas de anos de reis sumérios, eles foram derrotados pelo rei vizinho, Sargão da Acádia, que tentava estabelecer o primeiro império do mundo. No México, no vale de Oaxaca, os arqueólogos são capazes de visualizar como tudo isso aconteceu em um único lugar. O assentamento de San José Mogote começou como um pequeno vilarejo, igualitário e sem hierarquias, pouco depois da adoção da agricultura, cerca de três mil e seiscentos anos atrás. Ao longo do milênio seguinte, pequenos conflitos com vilarejos vizinhos aumentaram, assim como a riqueza e a desigualdade, até que, dois mil e quatrocentos anos atrás, o lugar passou a ser comandado como um clã, o vale entrou em guerra, e a população de

San José Mogote se mudou para cima de uma montanha, construindo uma muralha para defesa.

"O que veio primeiro, os líderes ou as guerras?" é quase a pergunta do ovo e da galinha, mas os dois elementos com certeza parecem ter surgido juntos — e, para a infelicidade de todos, era impossível dar as costas para essa ideia e continuar vivendo como um vilarejo pequeno e igualitário. A boa notícia para os fãs de guerra é que vamos falar mais sobre ela daqui a alguns capítulos. Por enquanto, nosso foco são os líderes.

Sei que é difícil acreditar nisso na era feliz e iluminada em que vivemos, mas, às vezes, os líderes de nações não são muito competentes. Na verdade, não é tão surpreendente assim: o sujeito já precisa ser um pouco estranho para querer administrar um país. Alguns de nós não conseguem nem decidir a meia que queremos usar no dia — imagine escolher as meias de uma nação inteira?

É claro que existem muitos tipos de líderes e muitas formas de um país acabar tendo que aturá-los. Há diversos modelos de autocracias: as dinastias hereditárias, os soberanos escolhidos por vontade divina, a conquista do poder pela força e várias opções de ditadores. Ah, também temos eleições democráticas. Vamos dar uma olhadinha nas burradas da democracia no próximo capítulo; neste, falaremos de alguns dos autocratas mais incompetentes, horríveis e simplesmente estranhos da história.

Comecemos com Qin Shi Huang, o primeiro imperador da China, um homem que teve uma surpreendente influência no mundo moderno devido à sua extrema perspicácia e à sua abordagem brutal mas eficaz para fazer o que precisava ser feito. Infelizmente, ele estragou tudo com um clássico e exagerado caso de delírio de supervilão.

Qin uniu os sete reinos inimigos da China em um único país através da brilhante tática diplomática de conquistar todos eles. Ninguém conseguira realizar essa façanha antes: em 222 AEC, na época em que Roma estava começando a pensar em se expandir para fora da Itália e instaurar seu império, Qin fundava uma vasta entidade política que sobreviveria a todas as outras.

O imperador não só conquistou seu objetivo, como o fez enquanto instituía uma série de reformas que determinariam a organização dos países modernos.

Ele reduziu a influência dos senhores feudais e estabeleceu uma burocracia centralizada, padronizou a língua escrita, a moeda e os sistemas de medidas e criou infraestruturas de comunicação fundamentais, como uma grande rede de estradas e um serviço rudimentar de correios. Ah, e começou a construção das primeiras partes do que se tornaria a Grande Muralha.

Então... qual foi o problema de Qin? Bem, infelizmente ele fez tudo isso enquanto reprimia qualquer oposição, bania filosofias opostas às suas, executava pessoas que discordassem de suas opiniões e escravizava camponeses para a construção de seus projetos. Acho que isso não é muito surpreendente, considerando como as coisas acontecem na história humana.

A parte mais curiosa é para qual finalidade ele usou seu poder centralizado e suas amplas redes de comunicação resumindo, o imperador obrigou seus súditos a buscarem o elixir da vida.

Qin, sujeito ambicioso que era, estava obcecado com a imortalidade e ficou convencido de que, com o poder de seu novo Estado, seria possível forçar a barra e descobrir o segredo da vida eterna. Ele enviou ordens para todos os cantos da nação, mandando uma galera até as regiões mais remotas do país, de médicos a soldados e comerciantes, para ajudar na investigação. Sua busca era tratada como uma iniciativa importante do governo: a corte central recebia relatórios regulares de vários postos em avanço, e amostras de plantas e poções eram enviadas para análise de Qin. Como parte do processo, todos os médicos precisavam ter um registro no governo. De certa maneira, era uma forma inicial de sistema centralizado de saúde pública. Por outro lado, não tinha nada a ver com isso.

Para a tristeza de Qin, a busca não funcionou muito bem como sistema de saúde pública. Seguindo os passos de qualquer supervilão, o desejo por imortalidade foi sua derrocada: acredita-se que muitos dos possíveis elixires da vida que ele provou continham mercúrio. E isso, é óbvio, o matou. (E é bem provável que o tenha deixado louco antes de morrer, intoxicado por mercúrio, que é exatamente o que queremos para um soberano absolutista maníaco por poder cuja palavra é lei.)

Após sua morte, as pessoas já estavam tão de saco cheio do imperador que começaram uma revolta quase que imediatamente, depondo seu herdeiro alguns anos depois. A dinastia de Qin não sobreviveu, apesar de o país que ele fundou ser uma superpotência até hoje. Mas ninguém jamais encontrou o segredo da vida eterna.

Permanecendo na China, mas avançando uns dezessete séculos no futuro, em 1505, se você quiser um guia útil sobre por que é melhor não colocar uma pessoa com o temperamento de uma criança mimada no governo de um país, seria bom começarmos pelo imperador Zhengde (nascido Zhu Houzhao).

Sua aversão a qualquer aspecto do trabalho de governante, quando ele preferia estar caçando tigres ou dormindo com uma quantidade absurda de mulheres, era uma coisa. Não era o ideal, mas paciência, a gente faz o que pode com o que tem.

Mas a situação começou a ficar estranha quando o imperador resolveu inventar um alter ego para si mesmo — um elegante líder militar chamado general Zhu Shou — e passou a ordenar que o tal general imaginário fosse lutar em batalhas ao norte do país, ao que, interpretando Zhu Shou, ele obedecia. E isso, por uma coincidência enorme, fazia com que ele passasse meses longe do seu trabalho.

Essa parte era bem esquisita.

Mas provavelmente era menos esquisita do que sua réplica em tamanho real de uma feira de rua construída dentro do palácio, onde ele forçava todos os seus oficiais e líderes militares mais importantes a se fantasiarem de comerciantes e ocuparem barracas para que ele pudesse se vestir de plebeu e caminhar pela feira, fingindo comprar coisas. E se notasse alguém fazendo cara feia durante essa perda de tempo extremamente humilhante, a pessoa seria demitida, ou pior.

Sim, essa parte deve ser a mais estranha.

Ah, também teve a vez em que ele resolveu que seria uma boa ideia armazenar toda a sua pólvora no palácio pouco antes de um festival de lanternas. O resultado foi basicamente o esperado: explosivo. (O imperador sobreviveu ao incêndio, mas morreu aos 29 anos por causa de uma doença que contraiu ao cair de um barco. Babaca.)

Um dos problemas dos sistemas hereditários é que, com frequência, o governo vai parar nas mãos de alguém que preferia estar fazendo qualquer coisa que não fosse mandar nos outros. Esse foi o caso do imperador Zhengde e do pobre Luís II da Baviera. Ao contrário da maioria dos soberanos nesta lista, o "rei Luís louco" era praticamente inofensivo; ele só não queria cumprir nenhuma das suas obrigações como rei da Baviera. Em vez disso, preferia dedicar sua vida a criar coisas fabulosíssimas.

Quando observamos a história da suposta loucura dos reis, é difícil ignorar que muitos dos casos que aparecem nas listas de "monarcas mais doidos" têm algo em comum. Em outras palavras, as pessoas encarregadas de escrever a história parecem usar "insanidade" ou "excentricidade" como código para "heterossexualidade insuficiente". (Um alô especial para a rainha Cristina da Suécia, que se recusou a casar, preferia não pentear o cabelo, usava roupas masculinas e tinha aquilo que provavelmente poderíamos chamar de "amiga íntima". Quando a pressionaram para encontrar um marido, ela preferiu renunciar ao trono, foi embora da Suécia vestida como homem e se mudou para Roma, entrando na cidade a cavalo, vestida como uma amazona.)

A orientação sexual de figuras históricas ficará sempre no campo da especulação (e precisamos lembrar que "gay", enquanto identidade social específica e distinta, só se concretizou nas sociedades ocidentais há cento e cinquenta anos). Dito isso, parece bastante seguro afirmar que Luís II era bem, bem gay.

Luís era um sonhador tímido e criativo, que não tinha interesse algum por política ou por liderar exércitos. Em vez disso, quando se tornou rei, em 1864, na tenra idade dos 19 anos, ele se recluiu da vida pública e dedicou seu reinado a virar um patrono das artes. E o melhor de tudo é que ele tinha talento para a coisa.

O rei investiu seus recursos no teatro, contratando os melhores artistas e transformando Munique na capital cultural da Europa. Ele era um fã devoto de Wagner e virou seu benfeitor pessoal, patrocinando e pagando ao compositor para criar suas últimas obras-primas, quando todo mundo já estava de saco cheio do homem. E, acima de tudo, havia os castelos.

Luís queria que a Baviera se enchesse de castelos de contos de fadas. Contratando cenógrafos de teatro, em vez de arquitetos, para montar seus projetos, o rei gastou uma fortuna em uma série de palácios cada vez mais ornados e extravagantes — o Palácio Linderhof, o Herrenchiemsee e, em especial, o dramático Castelo de Neuschwanstein, no topo de um afloramento alpino pedregoso, perto do seu lar de infância.

Tudo isso parecia muito problemático para a gente de bem da Baviera. A questão não era Luís ignorar seus deveres — ele resolvia a papelada burocrática correndo para poder voltar às suas paixões verdadeiras —, e sim que seus esforços artísticos estavam endividando a nação. Ele odiava aparecer nos eventos públicos, e seu principal interesse em questões militares parecia ser o fato de que a cavalaria estava cheia de caras gatos.

E havia a situação do herdeiro. Como geralmente acontece com os reis, Luís sofria uma constante pressão para casar e ter filhos. Ele noivou com uma duquesa que compartilhava seu amor por Wagner, mas, conforme a data do casamento se aproximava, ele começou a adiar o evento cada vez mais, até que finalmente o cancelou. E nunca mais cogitou o matrimônio.

Com o passar do tempo, enquanto as dívidas de Luís aumentavam e seus planos para castelos futuros se tornavam cada vez mais elaborados, seus inimigos na corte decidiram entrar em ação, seguindo a velha tradição de declará-lo louco. Bem, era possível que a família de Luís tivesse alguns problemas mentais (sua tia Alexandra acreditava que tinha um piano de vidro dentro do corpo, apesar de isso não a impedir de seguir uma carreira literária). Porém, nenhum dos quatro ilustres médicos persuadidos pelos conspiradores a assinar o diagnóstico do rei o examinou, e apenas um o conheceu (12 anos antes). Entre as provas de sua incapacidade óbvia para reinar estava o fato incriminador de que ele proibiu um criado de colocar leite em seu café.

Mas a farsa funcionou e, apesar dos esforços de uma amigável baronesa que tentou lutar com os comissários do governo usando sua sombrinha, Luís foi deposto e levado para a prisão (desculpa, para um "tratamento de saúde") em um castelo ao sul de Munique. As suspeitas de que a decisão tinha sido controversa só aumentaram quando, três dias depois, Luís e seu médico foram encontrados mortos em um lago raso, em um episódio que só pode ser descrito como "circunstâncias suspeitas".

Porém, de certa forma, quem riu por último foi Luís. Todos aqueles castelos que custaram uma fortuna? Eles agora são globalmente famosos — o Castelo de Neuschwanstein é a representação icônica da Baviera no mundo inteiro — e atraem milhões de visitantes por ano, coisa que ajuda bastante a economia bávara. Se os conspiradores não tivessem impedido os planos de Luís ao depô-lo, talvez a região estivesse muito mais rica agora. Nesse caso, quem fodeu com tudo não foi o pobre sonhador Luís. Foram eles.

Mesmo se você nunca tiver ouvido falar do Castelo de Neuschwanstein, com certeza já o viu várias vezes. As torres e os pináculos românticos do local foram a inspiração direta dos castelos de *Cinderela* e *A bela adormecida*, da Disney, que, por sua vez, se tornaram sinônimo da maior empresa de entretenimento do mundo. Sempre que você vir uma estrela cadente jogando purpurina no castelo do logotipo da Disney, está testemunhando a eternização do sonho de Luís.

Luís não foi o único líder cujos sonhos e talentos não eram adequados ao seu destino como monarca. Seu amor pela construção de castelos pelo menos era, de certa forma, uma vocação que entrava na lista de atribuições de um rei. Uma carreira menos adequada seria algo tipo, digamos, a de batedor de carteiras entusiasmado e incansável.

Ora, se a única coisa notável que Faruque I do Egito tivesse feito na vida fosse ter roubado o relógio de Winston Churchill em uma reunião crucial durante a Segunda Guerra Mundial, talvez ele fosse lembrado de outra maneira. Na pior das hipóteses, poderia ter entrado para os anais da história como um homem levemente excêntrico; na melhor, como uma lenda que era, basicamente, o Rei das Pegadinhas.

Só que Faruque não parou por aí.

Apesar de ser mais rico do que qualquer um de nós poderia sequer imaginar, Faruque — o segundo e último rei adulto do Egito — adorava roubar. Ele não fazia distinção entre poderosos e plebeus. O homem soltou um dos ladrões mais famosos do país só para o cara lhe ensinar a roubar melhor. Quando o corpo do recém-falecido xá do Irã estava descansando no Egito a caminho de Teerã, Faruque literalmente surrupiou uma espada encrustada de joias e outros itens valiosos do caixão. (Para surpresa de ninguém, isso acabou causando um leve incidente diplomático.)

Os roubos não eram o único sinal de que talvez Faruque não fosse um bom rei. Ele também era renomado por seu apetite, suas farras e seu estilo de vida esbanjador. Descrito como "um estômago com cabeça", ele inflou para mais de cento e trinta quilos depois de assumir a coroa como um belo adolescente. O rei gostava tanto do seu carro oficial, um Bentley vermelho, que decretou que mais ninguém no Egito poderia ter um carro da mesma cor. Além disso, também reuniu uma vasta coleção de pornografia de baixo nível. Amante das apostas, ele se cercou de aproveitadores, charlatões e oficiais corruptos. Uma vez, após acordar de um pesadelo em que era atacado por leões, Faruque saiu da cama e ordenou que o levassem para o zoológico do Cairo, onde imediatamente atirou nos leões.

Talvez as pessoas tivessem ignorado essas façanhas se ele não fosse tão dedicado a se tornar impopular de outras formas. Os britânicos tinham concordado, de má vontade, a reconhecer a independência egípcia em 1922, mas ainda mantinham uma forte e detestada presença militar no país, e muitos dos súditos de Faruque viam a monarquia como um fantoche do Ocidente. Por sua vez, os britânicos estavam perdendo cada vez mais a paciência com o rei por ele não ser um fantoche *tão bom*. (Para saber mais sobre esse tipo de coisa, veja o capítulo sobre colonialismo.)

Quando a Segunda Guerra Mundial começou, não foram as besteiras tipo roubar o relógio de Churchill que fizeram todo mundo se voltar contra Faruque. Foram outras coisinhas, como se recusar a desligar as luzes do seu palácio em Alexandria enquanto a cidade passava por um apagão devido a bombardeios alemães. Ou mandar uma carta para Adolf Hitler dizendo que ele adoraria ser invadido pelos nazistas se isso o libertasse dos ingleses.

Faruque sobreviveu ao conflito, declarando, com atraso, guerra às Potências do Eixo mais ou menos na época em que as batalhas tinham acabado, mas não durou muito depois disso. Ele foi deposto por um golpe militar em 1952 (tecnicamente, seu filho de seis meses foi rei durante um ano antes de a monarquia ser abolida) e passou o restante de sua vida em Mônaco e na Itália, onde, de acordo com a revista *Time*, "se tornou ainda mais nojento e persistente em suas investidas contra as mulheres". E acabou morrendo no tradicional estilo dos líderes exilados: de ataque cardíaco aos 45 anos, enquanto fumava um charuto depois de se empanturrar de comida em um restaurante em Roma.

(Só para constar, Churchill não achou graça na história do relógio e exigiu a devolução, irritado.)

Era de se esperar que a qualidade dos chefes de Estado melhorasse um pouco com o passar do tempo, mas muitos líderes da era moderna ficam pau a pau com seus colegas históricos em termos de babaquice e constrangimento. Por exemplo, Saparmurat Niyazov, que governou o Turcomenistão por mais de vinte anos, da época em que a nação ainda fazia parte da União Soviética, ao longo da independência e até a morte dele, em 2006, é um ótimo exemplo de que sempre é possível criar um culto de personalidade para um ditador, mesmo que a personalidade de tal ditador seja completamente horrenda.

Por duas décadas, o eterno presidente Niyazov comandou o país de acordo com seus caprichos pessoais, muitas vezes bem estranhos. Ele insistia em ser chamado de "Türkmenbaşy", que significa "pai dos turcomanos". Baniu todos os cachorros da capital Asgabate, porque não gostava do cheiro deles. Proibiu barbas, cabelo comprido em homens e dentes de ouro. Cheio de opiniões sobre personalidades da televisão, ele proibiu que os apresentadores de jornal usassem maquiagem, porque dizia que isso dificultava a diferenciação entre homens e mulheres. Também baniu óperas, balés e circos, proibiu o uso de playbacks em apresentações musicais, a reprodução de músicas gravadas em eventos como casamentos e até que as pessoas escutassem rádio no carro.

O presidente construiu uma estátua gigante de ouro de si mesmo em Asgabate; ela girava para estar sempre voltada para o sol. Ele adorava colocar seu nome nas coisas. Em 2002, passou a chamar o mês de janeiro de "Türkmenbaşy", enquanto abril virou "Gurbansoltan", em homenagem à sua mãe. Uma cidade importante foi rebatizada de "Türkmenbaşy". O pão passou a ter o nome de sua mãe. O aeroporto de Asgabate virou "Aeroporto Internacional Saparmurat Türkmenbaşy". Ele criou um feriado nacional para os melões, especificamente para uma nova variedade cujo nome era, surpreendentemente, "Türkmenbaşy".

Niyazov escreveu um livro, o *Ruhnama*, que era parte coletânea de poesias, parte autobiografia, parte aulas questionáveis de história e parte autoajuda. Se alguém não gostasse da obra, era punido com tortura. Perguntas sobre o conteúdo da obra eram feitas nas provas de autoescola. O presidente fechou todas as bibliotecas fora da capital, alegando que o Alcorão e o *Ruhnama* eram as únicas obras que as pessoas precisavam ler. Ele construiu uma estátua gigante do próprio livro na capital, que girava e tocava passagens gravadas em intervalos regulares. Era dito que a leitura da obra seria um pré-requisito para a entrada no paraíso. (É possível que ele tenha sido escrito por um *ghost-writer*.)

O governante gastou uma fortuna em prédios ridículos, como um palácio de gelo no deserto, uma pirâmide gigante e uma mesquita de sessenta milhões de libras que foi batizada de "Espírito de Türkmenbaşy". Também construiu uma enorme escada de concreto em uma montanha isolada e forçava os funcionários públicos a subir trinta e sete quilômetros todos os anos. Em 2004, quinze mil funcionários da área médica foram demitidos sob suas ordens e substituídos por soldados; todos os hospitais fora da capital fecharam, com o argumento de que as pessoas poderiam viajar para Asgabate se estivessem doentes; o Juramento de Hipócrates foi trocado por um juramento a Türkmenbaşy. Segundo relatos, Niyazov costumava apreender contrabandos de cargas de remédios e guardá-los para si mesmo, atirando em inimigos imaginários em sua obscura residência. Não havia liberdade de imprensa, os dissidentes eram reprimidos, e todos os grupos públicos, partidos políticos e religiões precisavam se registrar no "Ministério da Legitimidade". Fora do prédio do ministério, havia uma estátua gigante da Justiça — que, surpreendentemente, era a cara da mãe de Türkmenbaşy.

Não está muito claro quais lições pudemos aprender com o longo e péssimo reinado de Niyazov, além de que, se você se pegar agindo como ele, nem que seja só um pouquinho, por favor, por favor, pare.

Porém, por pior que tenha sido Türkmenbaşy, e por mais azarado que tenha sido o Turcomenistão por sofrer duas décadas de seu governo, o homem ainda não está no topo da lista de "autocratas extremamente lamentáveis". Existiram líderes mais cruéis, e talvez até mais incompetentes. Mas, se você quiser um bom exemplo do quanto uma autocracia pode ser escrota, então é difícil superar o período do Império Otomano que provou que, às vezes, coisas ruins podem acontecer três vezes seguidas.

A jaula dourada

Pouquíssimos lugares tiveram uma série de péssimos líderes igual ao Império Otomano na primeira metade do século XVII. Dois deles tiveram o termo "o Louco" acrescentado posteriormente ao seu nome, o que nunca é um bom sinal. Pior ainda: o único que não é chamado de "o Louco" talvez seja o que mais merece.

Considerando que dois eram irmãos e o terceiro era tio deles, é difícil não chegar à conclusão de que talvez houvesse algum problema hereditário rolando. Porém, também é fácil ficar com uma sensação bem forte de "mas o que você *esperava?*". Quando se tenta bolar um sistema designado para produzir líderes levemente instáveis, é difícil imaginar um resultado muito diferente desse.

Nesse período, o palácio Topkapı não era um lugar muito seguro, especialmente se você fosse filho do atual sultão. Seus irmãos eram o problema — ou pelo menos viravam o problema assim que o sultão morresse e todos vocês tentassem reivindicar o trono ao mesmo tempo.

Como era tendência entre as monarquias da época, brigas extremamente sangrentas pela sucessão se tornaram uma tradição nos séculos anteriores — uma tradição que tinha o péssimo hábito de se transformar em guerra civil. O que não era muito conveniente para ninguém, ainda mais quando se tinha um império para expandir, então os filhos do sultão geralmente decidiam evitar qualquer rivalidade fraterna e... bem, simplesmente matar todos os irmãos.

A desvantagem desse fratricídio institucional era que a dinastia otomana estava sempre correndo o risco de acabar de repente, caso um sultão morresse sem filhos para assumir o governo e não restasse nenhum irmão sobrevivente. Também houve a questão levemente problemática do sultão Maomé III, que mandou matar nada mais, nada menos do que dezenove irmãos mais novos antes de assumir o trono em 1595 — ato que todos concordaram ser meio exagerado. Então, a partir do sucessor dele, Amade I, chegou-se a um consenso: os irmãos extras seriam mantidos no Kafes, que significa "a Jaula"

A Jaula não era, de fato, uma jaula — era uma torre belamente decorada, bem luxuosa, ao lado de um harém —, mas com certeza tinha algumas características em comum com uma jaula. Tipo o fato de que ninguém podia sair dela.

Quando Amade I se tornou sultão em 1603, ele quebrou, em um gesto inesperado, a tradição de assassinar os irmãos e permitiu que o caçula, Mustafá, permanecesse vivo. O fato de que Amade só tinha 13 anos na época, e Mustafá, 12, talvez tenha influenciado essa decisão — o sultão só teria um filho no ano seguinte. E talvez ele também sentisse pena do irmão, que parecia bastante frágil. Basicamente, existe a possibilidade de Amade ter sido... quase legal?

Enfim, em vez de ser assassinado, Mustafá foi morar na Jaula, enquanto Amade I virou sultão. As coisas foram bem até 1617, quando sua majestade morreu de tifo.

A essa altura, ele já tinha um montão de filhos, que, tecnicamente, deviam herdar o trono. Mas, como todos ainda eram muito jovens e o palácio era recheado de intrigas (principalmente o medo de Cosem, a amante favorita de Amade, de que seus filhos fossem assassinados quando o meio-irmão subisse ao poder), as forças por trás do trono resolveram mudar a linha sucessória. Em vez de passar a coroa para o filho mais velho de Amade, Osmã, ela passaria para o irmão. E foi assim que Mustafá se tornou Mustafá I.

Podemos dizer que as coisas não deram muito certo.

Mustafá não tinha talento para ser sultão. Ele não parecia muito entusiasmado com a ideia, e o fato de ter passado os primeiros doze anos da sua vida convencido de que seria morto pelo irmão e os outros quatorze na prisão, sem nada para fazer além de fumar ópio e se divertir com concubinas, não ajudou muito. Os poderosos eunucos da corte achavam que seus pensamentos se tornariam mais focados quando ele fosse reintroduzido à sociedade. Não foi o caso.

Para Mustafá, suas principais tarefas como governante da nação envolviam rir muito, puxar a barba dos vizires e derrubar seus turbantes quando eles tentavam lhe contar coisas importantes sobre o reino. Ele tinha a tendência de nomear pessoas aleatórias — como um fazendeiro que conheceu durante uma caçada — para altos cargos oficiais. Também era conhecido por estar sempre acompanhado por duas escravas seminuas e por alimentar peixes com moedas de ouro e prata.

Bastaram três meses para todo mundo ficar de saco cheio, e Mustafá I foi deposto por seu sobrinho de 14 anos, Osmã. Por algum motivo, ele escapou de ser assassinado e voltou para a Jaula, pela segunda vez.

Os problemas teriam acabado por aí se o precoce Osmã II não tivesse se tornado um sultão ambicioso, não ortodoxo, apaixonado por reformas e que se recusava a seguir tradições. (Bem, no geral. Ele conseguiu dar um jeito de assassinar pelo menos um dos irmãos durante seu reinado, pelos velhos tempos.) Osmã cometeu o categórico erro de irritar seriamente a elite do exército otomano, os janízaros, culpando-os pela derrota em uma batalha que ele mesmo comandara, punindo-os ao fechar suas cafeterias e proibindo--os de fumar e beber, antes de finalmente bolar um plano para acabar com a unidade e criar um exército alternativo na Síria.

Apesar de o sultão talvez estar certo sobre a eficiência militar dos janízaros, eles, claro, não gostaram nada dessa ideia. Então, Osmã II recebeu a distinção de se tornar o primeiro exemplo de regicídio na história otomana, assassinado pelo próprio exército com uma mistura criativa de estrangulação e "compressão dos testículos".

E aí, como não havia mais ninguém para assumir o comando, Mustafá foi solto da Jaula de novo. E ele estava indo... mal.

É impossível dizer se as pessoas acharam que mais quatro anos de confinamento melhorariam seu estado mental, mas, se foi o caso, elas logo perceberam o erro, já que Mustafá voltou aos velhos hábitos bem rápido. Para começar, quando o soltaram da Jaula e anunciaram que o trono voltara a ser seu, ele se trancou lá dentro e se recusou a sair, explicando (com razão) que "eu não quero ser sultão". Depois que conseguiram tirá-lo de lá por um buraco no teto, o coitado passou um tempão correndo pelo palácio, buscando em desespero por Osmã II, acreditando que ele estivesse vivo e escondido em algum armário. Seu raciocínio era que, se conseguisse encontrar Osmã, o sobrinho poderia voltar a ser sultão, e ele seria liberado.

Isso durou mais dezessete meses (período no qual Mustafá conseguiu encontrar tempo para nomear um condutor de burros como encarregado de uma das principais mesquitas do reino) antes de todo mundo resolver que já haviam chegado ao limite. Até a mãe de Mustafá concordou em depô-lo pela segunda vez, desde que ele não fosse morto. Surpreendentemente, todos concordaram, e Mustafá passou o restante dos seus dias na Jaula, conseguindo a proeza de ser sultão duas vezes sem ser assassinado.

O novo soberano, Murade IV, apresentava dois grandes benefícios para os poderosos da corte otomana: (a) ele não aparentava nenhuma loucura óbvia, e (b) ele só tinha 11 anos. Sua mãe, Cosem, que por si só era uma estadista muito hábil, acabou governando em nome do falso sultão por alguns anos. Isso foi antes de Murade IV crescer o bastante para mostrar que, apesar de não ter problemas mentais aparentes, ele era, no mínimo, um grande babaca.

Ao herdar um reino meio caótico, o sultão resolveu impor sua autoridade. Com firmeza. Concluindo que o meio-irmão Osmã não tinha ido longe o suficiente ao banir coisas só para o exército, Murade proibiu o fumo, o álcool e, principalmente, o café para todo o Império Otomano.

Em uma lista de "decisões que só servem para irritar muita gente", proibir café na Turquia deve ser equivalente a proibir queijo na França, proibir armas nos Estados Unidos e... bem, proibir o estereótipo de nacionalidades na Grã-Bretanha. Mas Murade estava determinado. Ele odiava tanto os amantes de café que patrulhava as ruas à noite, vestido com roupas de plebeu, procurando por pessoas que estivessem bebendo café e executando-as na mesma hora.

Nos momentos em que não estava fazendo valer suas leis, o sultão gostava de relaxar matando súditos por qualquer motivo que passasse por sua cabeça: tocar a música errada, falar alto demais, andar ou navegar perto demais do palácio, ou só por ser mulher. *Especialmente* por ser mulher. Ele odiava o sexo feminino.

No fim do seu reinado, Murade nem executava mais as pessoas, já que para ser considerada uma execução implica que haveria pelo menos algum vago pretexto para isso. Ele basicamente andava por aí com sua espada, fulo da vida, matando qualquer pobre coitado que cruzasse seu caminho. É estimado que o sultão tenha executado pessoalmente cerca de vinte e cinco mil pessoas durante cinco dos dezessete anos do seu reinado — o que, em média, significa mais de treze sujeitos por dia. É preciso enfatizar, novamente, que esse é o cara que não ficou conhecido como "o Louco".

Ah, e é óbvio que ele assassinou a maioria dos irmãos que Osmã poupou.

Quando Murade IV morreu, em 1640 (de cirrose, o que deve ter sido surpreendente para seus súditos, que eram proibidos de beber), só havia um irmão sobrevivente: Ibraim. A essa altura, Ibraim passara praticamente todos os seus vinte e cinco anos de vida confinado na Jaula, vivendo com medo do inevitável assassinato. E ele tinha motivos para isso: Murade de fato ordenara a execução do irmão no seu leito de morte, preferindo acabar com a dinastia otomana a deixar Ibraim subir ao trono. O assassinato só não foi levado a cabo porque, como geralmente acontece nas brigas entre irmãos, sua mãe, Cosem, interveio, impedindo o ato.

Porém, se todo mundo ficou aliviado com Murade saindo de cena, Ibraim logo os fez mudar de ideia. Porque, se ele não era louco quando entrara na Jaula, com certeza ficou depois de passar tanto tempo por lá.

Assim como Mustafá, Ibraim não queria sair da Jaula no começo, convencido de que aquilo era um truque do irmão para matá-lo. Ele só se acalmou depois que lhe trouxeram o cadáver de Murade.

Quando finalmente o convenceram a sair, Cosem — talvez percebendo que o filho não tinha muita aptidão para governar — sugeriu que ele fosse se distrair com algumas concubinas. O conselho foi levado a sério demais, infelizmente.

Além de suas outras manias (como a obsessão pela pele de animais, sempre usando casacos de pele e insistindo que todos os cômodos do palácio fossem decorados com quantidades absurdas do material), Ibraim era viciado em sexo e parecia ser insaciável. Cosem achava isso ótimo, pois lhe deixava em paz para governar em nome do filho — ela lhe fornecia um monte de escravas e lhe enchia de afrodisíacos, de forma que a exaustão e a impotência não o deixassem sexualmente incapaz por tempo suficiente para que tentasse governar o país.

Os hábitos sexuais do sultão incluíam — vou ser sincero — algumas coisas bem horríveis. Como Dimitrie Cantemir, príncipe da Moldávia, escreveu alguns anos depois: "Ele costumava reunir todas as virgens nos jardins do palácio, obrigava-as a tirar a roupa e, relinchando como um garanhão, corria entre elas e violava uma ou outra, que chutavam e se debatiam de acordo com suas ordens."

Fica pior. De acordo com Cantemir, Ibraim um dia se deparou, durante uma viagem, com uma vaca selvagem e ficou obcecado com seus órgãos genitais. Então, mandou fazer um molde deles e enviou cópias forjadas a ouro para todo o império, ordenando que seus servos encontrassem uma mulher com a genitália igual à do animal.

Pois é.

(Um porém: vale mencionar que Cantemir talvez não seja uma fonte *completamente* confiável. Por um lado, ele viveu e estudou em Constantinopla, falava turco e escreveu suas memórias apenas algumas décadas depois dos eventos mencionados. Por outro, seu livro se chamava *A história do crescimento e da decadência do Império Otomano*, e foi escrito logo depois de ele fazer a Moldávia transferir sua lealdade dos otomanos para a Rússia, ser derrotado de um jeito catastrófico em uma batalha e depois ser deposto e exilado, então pode ser que guardasse certo rancor pela nação. O Império Otomano supostamente "decadente" durou, mal ou bem, mais dois séculos.)

A busca de Ibraim por uma mulher ideal, impulsionada ou não por um encontro bovino, acabou na Armênia. Ela se chamava Sugar Cube e logo se tornou a favorita do sultão. As coisas começaram a sair um pouco de controle depois disso: em determinado momento, Sugar Cube disse a Ibraim que uma de suas outras concubinas fora infiel. O sultão ficou tão furioso que cortou até o rosto do próprio filho com uma faca por fazer piada do assunto, e então — incapaz de determinar qual delas realmente era culpada — mandou que todas as duzentos e oitenta mulheres do seu harém, com exceção de duas, fossem amarradas em sacos e afogadas no Bósforo. Apenas uma sobreviveu. Pouco depois, temendo a crescente influência de Sugar Cube, Cosem a convidou para um jantar e um bate-papo amigável, durante o qual a matou. (Ela disse ao filho que Sugar Cube sucumbiu a uma repentina doença.)

Os excessos de Ibraim já estavam irritando todo mundo, e seu estilo de vida extravagante, cheio de sexo e peles, drenava os cofres públicos. Ele tinha vários filhos, então a dinastia estava segura. Até sua mãe concordou que a situação tinha ido longe demais e aceitou o plano para depô-lo. E, assim, pela segunda vez em duas décadas, os janízaros se revoltaram; uma multidão desmembrou o grão-vizir, levando Ibraim de volta para sua temida Jaula. Ele passou os últimos dez deprimentes dias de sua vida no mesmo lugar em que passara boa parte da infância, antes dos conspiradores decidirem acabar logo com aquilo tudo e assassiná-lo.

A história desse período do Império Otomano é tão parecida com um sangrento delírio febril e machista — algo que faz *Game of Thrones* parecer um documentário sobre costumes pitorescos — que é fácil duvidar que tenha de fato acontecido. E com certeza é mais um caso em que é difícil distinguir o que foi real e o que eram apenas mentiras para justificar todo o reboliço político e todos os assassinatos.

Foi uma época não só de homens enlouquecidos e algumas poucas mulheres poderosas que tentavam estabilizar as coisas; na maior parte do mundo, era também um momento de novas tecnologias e importantes mudanças econômicas, com trocas de alianças, reformulação de fronteiras e guerras por todos os lados. O Império Otomano não era exceção. Na segunda metade do século XVII, quando esse período de instabilidade finalmente foi deixado para trás, os otomanos se despediram de uma era de fratricídio institucional e de guerras civis, formaram uma nova economia monetizada e mudaram seu sistema de uma monarquia absolutista feudal para uma burocracia moderna. Então, longe de ter sido esse o ponto que marcou o começo do declínio do império, as coisas acabaram dando bem certo, no geral!

Embora isso não deva servir muito de consolo para todas as pessoas que foram assassinadas na época.

OUTROS CINCO LÍDERES QUE NÃO DEVERIAM TER ASSUMIDO O COMANDO DE NADA

Kaiser Guilherme II

Guilherme II da Alemanha acreditava ser um negociante genial, com um toque de Midas diplomático. Na verdade, seu único talento era ofender praticamente todos os países com que entrava em contato, o que talvez explique as origens da Primeira Guerra Mundial.

Jaime VI da Escócia e I da Inglaterra

Não foi o pior rei de todos — ele unificou as coroas da Escócia, da Inglaterra e da Irlanda e comissionou uma Bíblia única —, mas era obcecado por caçar bruxas. Ele supervisionava a tortura delas pessoalmente e chegou a escrever um livro sobre seus grandes feitos na luta contra a bruxaria.

Cristiano VII

Cristiano VII da Dinamarca foi um péssimo rei em vários sentidos, mas seu hábito obsessivo e incontrolável de se masturbar deve ter sido sua característica menos régia.

Czar Pedro III

Ele gostava muito de soldados de brinquedo. Não consumou, por anos, o casamento com Catarina (que se tornou "a Grande" depois de depor o marido), porque estava ocupado demais brincando e, certa vez, mandou executar um rato após vê-lo comendo um de seus soldadinhos.

Carlos IV

Mais conhecido por sua crença de que era feito de vidro e poderia quebrar a qualquer momento, o triste reino de Carlos IV da França acabou logo depois que os ingleses o convenceram a assinar um tratado declarando os monarcas da Inglaterra como herdeiros do trono dele — basicamente causando vários séculos de guerra.

5

O poder do povo

Graças à capacidade dos governantes autocráticos de cometerem enormes e exuberantes burradas, vários Estados tentaram, com o passar do tempo, solucionar esse problema ao experimentar um negócio chamado "democracia". E nem sempre foram bem-sucedidos.

Há dúvidas sobre o local em que a democracia nasceu — modelos de governo com tomada de decisão coletiva certamente aparecem nas primeiras sociedades pequenas. Também existem provas de algo similar à democracia na Índia há dois mil e quinhentos anos. Porém, no geral, é a cidade-Estado grega de Atenas que é creditada por adotar e codificar o governo democrático mais ou menos na mesma época, em 508 AEC.

É claro que muitas das principais características de uma democracia (governo aberto a todos os cidadãos, eleições nas quais as pessoas possam trocar a administração caso não gostem do que está acontecendo) dependem de quem é considerado cidadão. E ao longo de boa parte da história, em muitos países, essa categoria não incluía alguns grupinhos insignificantes — como mulheres, pobres ou minorias étnicas. Tipo, a gente não pode deixar *qualquer um* ter poder, né?

Outro problema da democracia é que as pessoas adoram a ideia enquanto acham que continuarão mandando em tudo, mas, de repente, ficam bem menos animadas quando começam a desconfiar que ela lhes tirará o poder. Por isso, é preciso fazer um esforço muito grande só para garantir que a democracia seja conservada.

Por exemplo, Roma tentou várias técnicas engenhosas para impedir que sua democracia virasse uma autocracia. Uma delas foi dividir o cargo de cônsul — o cargo elegível mais poderoso, que envolvia tanto liderança civil quanto militar — entre duas pessoas. Elas ocupariam o posto por um ano, trocariam os poderes mais importantes a cada mês, e cada uma receberia o comando de duas das quatro legiões do exército romano. O que é garantir, de um jeito bem inteligente, que o poder absoluto não caia nas mãos de um único homem.

Infelizmente, isso não funcionava quando todas as legiões eram necessárias em um único combate — como aconteceu na Batalha de Canas, em 216 AEC, na qual Roma enfrentou o poder dos guerreiros púnicos comandados por Aníbal, conhecido por seu amor por elefantes. Nesse caso, o comando do exército se alternava entre os dois cônsules, Lúcio Emílio Paulo e Caio Terêncio Varrão, *todos os dias*, um problema agravado pelo fato de que a dupla tinha opiniões divergentes sobre as táticas de guerra. Um dia, o cuidadoso Paulo estava encarregado, no outro era a vez do imprudente Varrão, e assim por diante. Aníbal, que queria atrair os romanos para a batalha, simplesmente esperou pelo dia em que Varrão estivesse no comando para realizar seu desejo. O resultado foi a quase dizimação do exército de Roma.

Na verdade, os romanos tinham um método para impedir que esse tipo de divisão acontecesse — um "ditador" era nomeado, alguém que receberia poder total em momentos de crise, sob a condição de que se afastaria do cargo depois que não fosse mais necessário. (Por ironia, pouco antes da Batalha de Canas, o Senado romano dispensou um ditador porque não gostava de suas táticas.) Claro, a ideia é ótima na teoria, mas contava que a pessoa que recebera poder absoluto e o comando de um exército forte abriria mão de tudo isso sem pestanejar. E, no geral, era assim que as coisas aconteciam. Até que, um dia, um camarada ambicioso chamado Júlio César resolveu que gostava bastante daquele poder todo e preferia continuar como estava, se vocês não se importarem, óbvio. A situação terminou com ele sendo apunhalado, mas seus sucessores, que também gostaram de ter poder absoluto, rapidamente transformaram a República Romana no Império Romano.

Algumas das medidas tomadas pelos sistemas democráticos para evitar que os gananciosos tenham mais influência do que deveriam são impressionantes. Se você acha que o método de colégio eleitoral dos Estados Unidos é confuso, agradeça por nunca ter ouvido falar no sistema da República de Veneza. Vários séculos antes de a palavra "doge" se tornar um meme popular de cachorro na internet, com a foto de um Shiba Inu perplexo, porém tranquilo, Veneza era comandada por um doge, um líder eleito através do sistema de colégio eleitoral mais complicado do mundo.

Considerando que o doge era selecionado para um cargo vitalício por um Conselho Maior com mais ou menos cem oligarcas — uma estrutura potencialmente corruptível —, o sistema eleitoral foi estabelecido em 1268 com a intenção de impedir qualquer intervenção no resultado das eleições. O Doge de Veneza era eleito da seguinte forma: primeiro, trinta membros do conselho eram escolhidos de forma aleatória, por sorteio. Então, um novo sorteio acontecia, reduzindo o número de trinta para nove. Esses nove escolheriam quarenta membros do conselho, que seriam então selecionados por um novo sorteio, restando apenas doze. Esses doze escolheriam vinte e cinco membros, que seriam novamente reduzidos a nove por sorteio, que escolheriam mais quarenta e cinco, que seriam reduzidos a onze por sorteio, que então escolheriam quarenta e um membros — e aí, finalmente, na décima rodada do processo, *esses* quarenta e um elegeriam o doge.

Tente reler isso em voz alta e sem respirar.

O método é obviamente ridículo, e devia ser um pesadelo para os especialistas políticos venezianos tentarem prever o resultado. Porém, sejamos justos com os oligarcas de Veneza. O sistema parece ter dado bastante certo (se você fosse um oligarca veneziano), já que permaneceu em uso por mais de quinhentos prósperos anos, até a República de Veneza ser conquistada por Napoleão Bonaparte, em 1797.

Francamente, isso torna Veneza um exemplo de estabilidade, ainda mais quando consideramos que, no momento em que escrevo isto, a Itália já teve sessenta e cinco governos e quarenta e três primeiros-ministérios nos setenta e dois anos do período pós-guerra. Em contrapartida, nesse meio-tempo, o Reino Unido teve apenas quinze primeiros-ministérios (em ambos os casos, algumas pessoas ocuparam o cargo mais de uma vez; daí o uso de "primeiros-ministérios" em vez de "primeiros-ministros"). Esse "no momento em que escrevo isto" é bem importante, porque, para dificultar a minha vida, a Itália está passando por uma de suas habituais crises constitucionais enquanto o prazo final para a entrega do livro se aproxima. Quando ele for publicado, pode ser que estejamos no 66º governo e no 44ª primeiro-ministro, ou talvez mais que isso. Assim, visando manter a precisão, vamos repetir o mesmo fato com um espaço em branco, para que você possa preencher o número atualizado da quantidade de governos que a Itália já teve:

> A Itália já teve [   ] governos desde 1946.
> (Favor acessar www.howmanygovernmentshasitalyhad.com para descobrir o número exato. Talvez seja melhor escrevê-lo a lápis?)

Um dos problemas da democracia ser tão frágil é que políticas que parecem razoáveis em um sistema liberal fofo podem sair pela culatra de um jeito bem horroroso quando um regime mais autoritário assume o poder. Por exemplo, vejamos o que aconteceu com o México na primeira metade do século XIX, quando as autoridades locais — recém-independentes da Espanha — resolveram fazer alguma coisa de útil com as terras pouco desenvolvidas da província do Texas, ao norte. Desejando uma área de proteção para defender o país dos ataques dos comanches e do crescimento para o oeste dos Estados Unidos, os mexicanos começaram a incentivar vaqueiros e fazendeiros americanos a ocuparem a área, doando enormes terrenos para agentes que facilitariam a mudança (não haver qualquer tratado de extradição pode ter sido um grande atrativo para as pessoas).

As autoridades começaram a perceber que a ideia não estava dando certo quando se tornou óbvio que alguns desses agentes ganhavam cada vez mais poder político — e que muitos colonos não queriam se integrar e obedecer às leis do governo mexicano. Em 1830, os mexicanos, nervosos, tentaram barrar a migração americana, mas não conseguiram impedir o fluxo de imigrantes que atravessavam suas fronteiras.

A situação piorou quando o governo (relativamente) liberal do país foi substituído pelo líder autocrático e autoritário Antonio López de Santa Anna, que, em 1835, acabou com o congresso mexicano e aprovou grandes mudanças na constituição do país, centralizando o poder e transformando-se em um ditador. Ele também passou a reprimir dissidências no Texas, tomando medidas enérgicas contra a comunidade dos imigrantes americanos. Isso só serviu para piorar as coisas, e uma rebelião logo começou. Em 1836, depois de uma guerra que incluiu os eventos deploráveis no Alamo, o Texas declarou sua independência. Em 1845, a região se anexou aos Estados Unidos, que se expandia, e, em vez de ter uma proteção contra o crescimento americano, o México perdeu uma província valiosa.

Existem algumas lições divergentes que podemos aprender com essa história. Por um lado, existe o argumento de que "não é bom incentivar a imigração e depois se voltar contra as comunidades de imigrantes". Por outro, também temos o "não presuma que você será sempre uma democracia, porque É EXATAMENTE ASSIM QUE AS COISAS DÃO ERRADO".

O estado democrático, é claro, parte um pouco do princípio de que os eleitores tomarão boas decisões. Em 1981, por exemplo, a pequena cidade californiana de Sunol elegeu um cachorro como prefeito. Bosco Ramos, uma mistura de labrador com vira-lata preto, venceu dois candidatos humanos de forma arrasadora depois que seu dono, Brad Leber, resolveu anunciar sua candidatura após uma noite falando merda em um bar local. Mas sejamos justos com Bosco e os eleitores de Sunol. Deu tudo certo — Bosco era visto por todos como um bom garoto e foi prefeito por mais de uma década, encerrando seu mandato apenas na sua morte, em 1994. Em 2013, um residente da cidade contou ao jornal *San Jose Mercury News* que o prefeito "costumava ir a todos os bares e rosnava quando você não lhe dava comida", além dos boatos de ele ter engravidado várias cadelas da região. Para ser sincero, parece um comportamento bem típico de políticos. Bosco é lembrado com carinho pelos habitantes de Sunol, onde ainda podemos encontrar sua estátua de bronze. Além disso, seu governo se meteu em apenas um incidente internacional marcante — quando, logo após o massacre da Praça da Paz Celestial, o jornal chinês *People's Daily* usou o exemplo de Bosco para atacar a democracia ocidental, alegando que "não há distinção entre pessoas e cachorros". Bosco acabou se unindo a um grupo de estudantes chineses em um protesto em prol da democracia diante do consulado chinês em São Francisco.

A eleição de Bosco pode ter sido inesperada, mas não chega nem perto de ser a vitória mais esquisita de um não humano em uma eleição. Essa honra provavelmente é concedida a Pulvapies, uma marca de talco para pés que foi eleita prefeita da cidade equatoriana de Picoazá, em 1967. A Pulvapies nem estava concorrendo oficialmente, mas seu fabricante criou, de brincadeira, uma campanha de marketing nacional, com o slogan: "Vote em qualquer candidato, mas se você quiser bem-estar e higiene, vote em Pulvapies." No dia da eleição, a marca recebeu milhares de votos em várias regiões — e o talco conseguiu vencer, para o desgosto dos muitos candidatos humanos.

Ainda assim, por mais exótico que seja eleger candidatos não humanos, se você quiser fazer uma burrada democrática impressionante de verdade, sua melhor opção continua sendo eleger pessoas — como demonstrado pelo fato de que colocar uma marca de talco no poder não foi a pior decisão eleitoral do Equador nos últimos anos.

Em vez disso, é bem provável que essa honra seja de Abdalá Bucaram, presidente do país em 1996. Bucaram, ex-chefe de polícia, prefeito e cantor amador de rock que atendia pelo autoproclamado apelido de "El Loco", teve uma vitória surpreendente depois de uma campanha presidencial populista em que atacava as elites do país. Como chefe de polícia, ele ficara conhecido pela maneira como "perseguia mulheres de minissaia, pulava de sua moto e rasgava as bainhas, tornando as vestes mais compridas", segundo o relato do *The New York Times* na época de sua eleição. Como prefeito, Bucaram também tinha fama de pedir propina para estabelecimentos locais, sendo obrigado a fugir para o Panamá, em 1990, para não ser preso por corrupção. Durante sua campanha eleitoral, os comícios e propagandas não convencionais — que geralmente o mostravam cantando junto com a banda que sempre o acompanhava — conquistaram a classe trabalhadora do país, a quem Bucaram prometeu que acabaria com as políticas neoliberais de privatização e austeridade aplicadas pelos políticos da nação. Detalhes que poderiam ter acabado com a carreira de qualquer figura pública — sabe, bobagens como ele exibir um bigodinho de Hitler e dizer que *Mein Kampf* era seu livro favorito — não pareciam impedir seu sucesso.

Alguns meses depois de o novo presidente assumir o governo, os pobres que o colocaram no poder ficaram um pouco surpresos com o plano econômico que ele anunciou: um programa neoliberal com mais privatizações e austeridade, as mesmas coisas que Bucaram prometera ao povo que não faria. Ah, e ele tentou remover o limite de mandato para os presidentes. E, durante o discurso em que anunciava essas medidas, improvisou e atacou um jornal que lhe criticara.

Bucaram continuou a se comportar de forma excêntrica enquanto estava no poder: lançou uma música chamada "El loco que ama", se encontrou com Lorena Bobbit (a mulher que se tornou famosa por ter cortado o pênis do marido) e vendeu seu bigodinho para angariar fundos para caridade. Além disso, se os relatos da imprensa local da época estiverem corretos (de novo, pode ser difícil distinguir quais acusações são verdadeiras e quais são fofocas), seu filho adolescente se tornou o responsável não oficial pela alfândega do país e, segundo notícias, a família deu uma festa para comemorar o primeiro milhão do garoto. Na época, o salário mínimo no Equador era trinta dólares por mês, então é fácil entender por que isso irritou algumas pessoas.

Não é de se surpreender que a opinião popular logo tenha se voltado contra Bucaram, causando protestos imensos contra o seu reinado. Ele sofreu um impeachment e foi removido da presidência com meros seis meses de mandato, sob alegações de que era "mentalmente incompetente". (É quase certo que isso tenha sido uma desculpa, mas, quando você resolve se chamar de "El Loco" durante a campanha presidencial, acaba perdendo todos os argumentos.) Bucaram também foi acusado de roubar milhões de dólares e imediatamente fugiu, de novo, para o exílio no Panamá. Existem várias lições a serem aprendidas com essa história, mas a principal deve ser: "Se a pessoa tem um bigodinho de Hitler, então, hã, talvez isso seja um mau sinal."

Falando nisso... é impossível discutirmos como a democracia pode dar errado de um jeito horrível e em um piscar de olhos sem mencionarmos... Hitler.

Hitler

Olha, eu sei o que você está pensando. Colocar Hitler em um livro sobre os erros terríveis que nossa espécie cometeu não é a decisão mais revolucionária do mundo. "Uau, nossa, nunca ouvi falar desse cara, que fascinante curiosidade histórica" provavelmente não é sua opinião no momento.

Porém, além do fato de ele ser (obviamente) um maníaco genocida, existe um aspecto do governo de Hitler que costuma ser ignorado. Apesar de a cultura popular ver graça em torná-lo objeto de deboche, ainda tendemos a pensar que a máquina nazista funcionava com eficiência extrema e que o grande ditador passava boa parte do seu tempo... bem, sendo ditatorial.

Então, vale a pena lembrar que Hitler, na verdade, era um egomaníaco incompetente e preguiçoso, e que seu governo era uma completa palhaçada.

Talvez isso tenha ajudado sua ascensão ao poder, já que ele era constantemente subestimado pela elite alemã. Antes de Hitler se tornar chanceler, muitos dos seus oponentes achavam que ele era uma piada, com seus discursos grosseiros e seus comícios espalhafatosos. De acordo com o editor de uma revista da época, ele era um "tolo patético"; outro escreveu que seu partido era uma "sociedade de incompetentes" e que as pessoas não deveriam "superestimar o partido da fanfarra".

Depois das eleições que fizeram dos nazistas o maior partido do Reichstag, as pessoas continuavam achando que Hitler era um alvo fácil, um idiota escandaloso que seria tranquilamente controlado por gente mais inteligente. Franz von Papen, que acabara de ser removido do cargo de chanceler da Alemanha e que, amargurado, queria reconquistar o poder, achou que poderia se aproveitar de Hitler, então começou a negociar um governo de coalizão com ele. Depois que o acordo entrou em vigência, em janeiro de 1933, tornando Hitler chanceler e von Papen, vice, e com um ministério cheio de aliados conservadores, ele estava certo de seu triunfo. "Nós o contratamos", disse a um conhecido que tentou alertá-lo sobre seu erro. "Daqui a dois meses", previu von Papen para outro amigo, "Hitler estará se sentindo tão pressionado que vai ceder".

Não foi bem assim que aconteceu. Na verdade, em dois meses, o novo chanceler tinha tomado controle de todo o Estado alemão, convencendo o Reichstag a aprovar uma lei que lhe dava o poder de passar por cima da constituição, da presidência e do próprio Reichstag. Aquilo que antes fora uma democracia, de repente, não era mais.

Por que as elites da Alemanha continuavam subestimando Hitler? Talvez porque não estivessem erradas a respeito de sua incompetência — elas só não perceberam que isso não bastaria para brecar as ambições do chanceler. No final das contas, Hitler realmente era um péssimo governante. Como seu próprio chefe de imprensa, Otto Dietrich, mais tarde escreveu em suas memórias, *The Hitler I Knew* [O Hitler que eu conheci, em tradução livre], "nos 12 anos em que governou a Alemanha, Hitler criou a maior confusão administrativa já vista em um Estado civilizado".

O chanceler odiava ler documentos e constantemente tomava decisões importantes sem nem olhar para os relatórios preparados por seus assistentes. Em vez de debater política com seus subordinados, ele os sujeitava a incoerentes discursos improvisados sobre qualquer coisa em que estivesse pensando — algo que todos detestavam, porque só poderiam voltar ao trabalho depois que a ladainha terminasse.

Sua administração era um caos constante, os funcionários do governo nunca sabiam o que fazer, e ninguém entendia quem era responsável pelo quê. Ele enrolava quando precisava tomar decisões difíceis e frequentemente seguia sua intuição, surpreendendo até os aliados mais próximos com seus planos. Sua "inconstância deixava todos ao redor arrancando os cabelos", escreveu Ernst Hanfstaengl, amigo próximo do ditado, em suas memórias, *Zwischen Weißem und Braunem Haus*. Isso significava que, em vez de passarem seu tempo trabalhando em prol do Estado, as pessoas ficavam brigando entre si e puxando o tapete umas das outras, tentando agradar o chanceler ou passar despercebidas por ele, dependendo do seu humor naquele dia.

Os historiadores não sabem ao certo se isso era uma tática proposital de Hitler para conseguir o que queria ou se ele simplesmente era um péssimo administrador. O próprio Dietrich achava que seu comportamento tinha o objetivo de causar divisão e caos — e com certeza dava certo. Mas, quando olhamos para os hábitos pessoais do chanceler, é difícil não chegar à conclusão de que seus métodos eram apenas o resultado natural de colocar um narcisista vagabundo no comando de um país.

Hitler era extremamente preguiçoso. De acordo com Fritz Wiedemann, seu assistente, o chanceler não acordava antes das 11 da manhã mesmo quando estava em Berlim, e a única coisa que fazia antes do almoço era ler o que a mídia dizia sobre ele nos jornais, que eram obedientemente entregues para ele por Dietrich. E Hitler nunca se divertia em Berlim, onde as pessoas viviam lhe arrumando o que fazer: ele aproveitava qualquer oportunidade para fugir da sede do governo e ir para seu refúgio pessoal no interior, em Obersalzberg, onde fazia menos ainda. Lá, só saía do quarto às duas da tarde, passando boa parte do tempo fazendo caminhadas ou assistindo a filmes madrugada adentro.

O chanceler era obcecado pela mídia e por celebridades, e frequentemente parecia se ver sob essa lente. Certa vez, se descreveu como "o melhor ator da Europa" e disse em uma carta para um amigo: "acredito que minha vida seja o maior romance da história do mundo." Muitos dos seus hábitos pessoais eram estranhos ou até infantis — ele tirava sonecas regulares durante o dia, comia as unhas enquanto estava sentado à mesa de jantar e era fanático por doces, chegando a comer "quantidades absurdas de bolo" e "colocar tantos cubos de açúcar na xícara que mal restava espaço para o chá".

A falta de conhecimento de Hitler o deixava extremamente inseguro, e ele preferia ignorar informações que iam contra suas percepções ou atacar as opiniões dos outros — diziam que o chanceler exibia "a raiva de um tigre" contra qualquer um que o corrigisse. "Como alguém pode contar a verdade para uma pessoa que imediatamente se irrita quando os fatos não lhe agradam?", lamentou Wiedemann. Hitler odiava que rissem dele, mas adorava quando os outros eram alvo de piada (ele fazia imitações zombeteiras das pessoas de quem não gostava). Mas ele também desejava a aprovação daqueles de quem desdenhava, e seu humor melhorava bem rápido quando um jornal o descrevia de maneira positiva.

Poucos desses fatos eram segredo ou desconhecidos na época. Foi por isso que tanta gente só foi levar Hitler a sério quando já era tarde demais, considerando-o um "babaca meio maluco" ou um "homem com cordas vocais potentes". De certa forma, essas pessoas tinham razão. Mas, por outro lado importantíssimo, elas não poderiam estar mais enganadas. Os defeitos de Hitler não lhe impediram de ter um instinto excepcional para a retórica política que apelaria às massas, e, pelo visto, um governo não precisa ser particularmente competente ou funcional para fazer coisas horríveis.

Quando algo terrível acontece, nossa tendência é presumir que um cérebro controlador e brilhante deve estar por trás de tudo. É compreensível: como as coisas podem ter dado tão errado sem um gênio do mal mexendo os pauzinhos? A desvantagem disso é que acabamos achando que, se não conseguimos identificar um gênio do mal imediatamente, podemos relaxar, porque *tudo vai dar certo.*

Mas a história mostra que esse é um erro que cometemos o tempo todo. Muitos dos piores eventos causados pela humanidade não foram produtos de gênios do mal. Pelo contrário: os responsáveis foram um monte de idiotas e lunáticos, que vão fazendo tudo sem demonstrar qualquer coerência, auxiliados por pessoas confiantes demais que achavam que poderiam controlá-los.

SEIS POLÍTICAS QUE NÃO DERAM CERTO

Imposto comunitário

As mentes mais inteligentes do governo de Margaret Thatcher bolaram aquilo que acreditavam ser impostos mais justos: um sistema em que todo mundo, rico ou pobre, pagaria a mesma coisa. Isso acabou causando inadimplência em grande escala e protestos enormes. E Thatcher foi forçada a sair do governo.

Lei seca dos Estados Unidos

As tentativas americanas de banir o consumo do álcool entre 1920 e 1933 fizeram com que menos pessoas bebessem, mas também permitiram que o crime organizado monopolizasse a indústria do álcool, causando ondas de crime que assolaram muitas regiões.

O efeito cobra

Como forma de controlar a praga em Nova Déli, o governo britânico ofereceu uma recompensa por cobras mortas. Aí, as pessoas começaram a criar cobras para receber o dinheiro. Aí, os britânicos acabaram com a recompensa. Aí, as pessoas soltaram as cobras inúteis. Resultado: mais cobras.

Lei Smoot-Hawley

Conforme a Grande Depressão começava a se complicar, em 1930, os Estados Unidos resolveram cobrar altas tarifas em importações para tentar impulsionar indústrias domésticas. A guerra comercial que resultou disso só serviu para piorar a crise global.

Os órfãos Duplessis

No Quebec, entre as décadas de 1940 e 1950, o governo ofereceu subsídios para grupos religiosos que cuidassem de órfãos e de pessoas mentalmente instáveis. Porém, os pagamentos para serviços psiquiátricos eram o dobro do valor para quem trabalhava com órfãos — assim, milhares de crianças sem pais foram falsamente diagnosticadas como desequilibradas.

Hoy no circula

Em 1989, a Cidade do México tentou reduzir a poluição ao proibir que carros específicos circulassem em determinados dias. Infelizmente, em vez de começarem a andar de ônibus, as pessoas simplesmente compraram mais carros para sempre terem um que pudessem dirigir.

6

Guerra. É. Para que ela serve mesmo?

Os humanos adoram uma guerra. Ela é, de muitas formas, a nossa "praia". As provas mais antigas de violência organizada em massa nos registros arqueológicos datam de catorze mil anos atrás, em Jebel Sahaba, no vale do Nilo. Mas, sejamos sinceros, é bem provável que a gente já estivesse arrumando briga muito antes disso. Enquanto isso (como mencionado alguns capítulos atrás), existem evidências em Oaxaca, no México, de que os vilarejos já começaram a tentar invadir uns aos outros pouco depois de serem formados, e as coisas só pioraram com o passar do tempo.

Estima-se que cerca de noventa ou noventa e cinco por cento de todas as sociedades que conhecemos tenham travado guerras com certa regularidade; as poucas que conseguiram evitar desavenças tendem a ser aquelas relativamente isoladas, que mantiveram um estilo de vida nômade, de coletor-caçador ou de forrageamento.

Existe apenas uma exceção histórica — a civilização harapeana, que habitava o Vale do Indo há cinco mil anos, estendendo-se por partes dos territórios que hoje formam o Afeganistão, o Paquistão e a Índia. Desenvolvendo-se na mesma época que as civilizações da Mesopotâmia e do Egito, os harapeanos eram uma sociedade avançada, com milhões de habitantes. Suas cidades apresentavam planejamentos urbanos sofisticados e comodidades como tubulações, banheiros e banhos públicos, além de abrigar uma cultura que produzia tecnologias inovadoras e obras de arte que eram negociadas em toda parte. E, pelo que parece, não havia guerras. Mesmo. Já faz um século que os arqueólogos escavam os resquícios das cidades harapeanas, e poucas provas foram encontradas de invasões ou destruição de assentamentos. Há apenas alguns raros exemplos de fortificações ou defesas significativas, mas nenhuma representação de guerra nas obras de arte e nada que sugira a existência de um exército ou de grandes coleções de armas militares. (E, curiosamente, ao contrário de outras civilizações contemporâneas parecidas, também não foram encontrados grandes monumentos em homenagem a líderes.)

Isso tudo acaba criando a imagem idealizada de que os harapeanos eram pré-hippies, o que seria legal, mas provavelmente não condiz com a realidade. Apesar de parecer que a sociedade era bem tranquila e se dava bem com a vizinhança, ela também tinha a vantagem de estar geograficamente protegida de qualquer um que quisesse invadi-la, o que com certeza torna mais fácil evitar brigas. E, é claro, também é possível que *ainda* não tenhamos encontrado sinais de guerra; se esse for o caso, não seria a primeira vez que uma civilização ganhou fama de pacífica e depois foi desmascarada por novas descobertas. O sistema de escrita harapeano ainda não foi completamente decifrado, então, talvez, a gente consiga decodificá-lo e veja que seus textos dizem: "Rá! Vamos esconder toda a nossa parafernália de guerra para confundir os arqueólogos."

Ainda assim, pelo menos por enquanto, parece que ao mesmo tempo em que outras civilizações viviam metidas em guerras e conquistas, a sociedade harapeana conseguiu passar setecentos anos no auge e sem ser incomodada por nenhum conflito externo. E então, por motivos não determinados, ela simplesmente... sumiu da história. O povo foi embora das cidades e voltou para o campo. A mudança no clima que causou o declínio de muitas das primeiras civilizações, por volta de 2200 AEC, teria deixado o vale cada vez mais árido e menos fértil; o excesso de gente e de lavouras pode ter levado à falta de comida; e, como qualquer população urbana, as pessoas estavam mais vulneráveis a doenças contagiosas. Independente do motivo, as cidades foram praticamente abandonadas três mil e quinhentos anos atrás, encerrando esse breve período curioso e sem guerras da história da humanidade. Enquanto isso, o restante das civilizações mundiais continuou crescendo e brigando.

(Existe a constrangedora possibilidade de que o erro dos harapeanos foi não se envolverem em nenhuma guerra, e que as civilizações precisam de conflito para se manterem vivas. Esse foi o pensamento feliz do dia.)

Neste momento, temos a sorte de estarmos vivendo em um período relativamente pacífico da história, mas, mesmo assim, talvez você tenha notado uma guerra ou outra acontecendo por aí. A contagem anual de baixas em guerras diminui há várias décadas, e alguns escritores alegam que isso é um sinal de que entramos em uma nova era de paz, racionalidade e amizade globalizada. Mas, sinceramente, acho que ainda é cedo demais para acreditar nisso: afinal de contas, o número de baixas está diminuindo quando comparado à maior quantidade de mortes na história, que foi na Segunda Guerra Mundial. A humanidade pode estar só descansando um pouco antes de voltar com tudo.

Como este é um livro sobre fracassos, acho que não preciso explicar que todas as guerras são, de certa forma, enormes fracassos de *alguém*. Porém, apesar de elas já serem péssimas por si só, o caos, a visão limitada e as bobagens chauvinistas desses confrontos realmente aumentam a capacidade inata da humanidade de fracassar em muitos outros sentidos. A guerra faz o sangue de todo mundo subir à cabeça; em outras palavras, é quando fodemos com tudo.

Nenhum exemplo deixa isso mais claro do que a merecidamente comemorada Batalha de Cádis, que deveria ser rebatizada como a Babaquice de Cádis. Em 1625, os ingleses resolveram que queriam foder de vez com os espanhóis. O rei Jaime VI e I (aquele famoso por unificar o reino, comissionar a Bíblia e caçar bruxas) tinha acabado de morrer, deixando seu filho adulto, Carlos I, em seu lugar. Carlos — demonstrando todo o tato e o bom senso que acabariam fazendo com que perdesse a cabeça — implicava com a Espanha desde que o rei de lá não permitira que ele se casasse com uma de suas princesas e queria se vingar. Então, ele e seus amigos resolveram botar pra quebrar e organizar algumas expedições piratas para roubar todo o ouro e a prata que os espanhóis traziam das Américas.

Em novembro daquele ano, cem navios e quinze mil soldados de uma expedição conjunta dos ingleses e holandeses entraram na baía de Cádis, no sudoeste espanhol. Eles estavam lá para saquear e não sairiam com os bolsos vazios. Sim, eles só foram para Cádis porque eram tão desorganizados que perderam a frota espanhola e seu tesouro enquanto eles voltavam do Novo Mundo, mas mesmo assim. Agora era a hora da vingança.

Infelizmente, já estava claro, antes de eles chegarem à baía, que não tinham levado comida e bebida suficientes. Então, quando as forças invasoras ancoraram, o comandante da expedição, Sir Edward Cecil, deixou que as tropas famintas dessem prioridade a encontrar alimentos antes de, você sabe, travar qualquer batalha. E aí os soldados fizeram aquilo que os ingleses sempre fazem quando estão em terras estrangeiras: foram direto para os armazéns de vinho. E começaram a encher a cara.

Quando descobriu que o exército inteiro estava bêbado, Cecil tomou a sensata decisão de abandonar o plano, ordenando que os homens batessem em retirada para os navios e voltassem para casa, humilhados. A maioria obedeceu depois de certo tempo, mas uns mil deles estavam tão bêbados que continuaram vagabundeando por Cádis até as autoridades espanholas aparecerem e executarem todo mundo.

E foi assim que os ingleses não conseguiram invadir Cádis.

Essa história geralmente aparece nas listas de maiores fracassos militares de todos os tempos — mas, para ser sincero, se ignorarmos a parte das pessoas sendo executadas, parece ter sido bem divertido. Você chega a um lugar, não come o suficiente, enche a cara e perde alguns amigos pelo caminho: é um clássico das férias. Se, em vez de travarmos guerras, a gente tivesse o hábito de mandar grupos enormes de pessoas para outros países para beberem vinho e passearem pelas cidades, o mundo seria um lugar muito, muito mais feliz. Se bem que, agora que escrevi isso, me ocorreu que esse é basicamente o motivo de a União Europeia existir.

Tenho certeza de que você vai se surpreender ao descobrir que o álcool teve um papel decisivo em muitos dos momentos mais idiotas em campos de batalha — como é o caso da Batalha de Mentira de Karansebes, em 1788. Foi um evento impressionante porque o exército austríaco conseguiu sofrer muitas perdas apesar de seus oponentes nunca terem aparecido. Na verdade, o inimigo (eles lutavam contra o Império Otomano na época) só ficou sabendo que a batalha aconteceu quando se deparou com o que restou dela.

O *que* aconteceu exatamente é, hum, meio confuso. Nós sabemos que o exército austríaco estava batendo em retirada durante a noite, atravessando a cidade de Karansebes (território que hoje é a Romênia) e prestando atenção em qualquer sinal de que os turcos se aproximavam. É aí que os relatos divergem. Em uma versão, um grupo de soldados da região romena da Valáquia começou a espalhar boatos de que os turcos tinham chegado à cidade, causando confusão para que pudessem roubar o comboio de equipamentos. Em outra versão, oficiais da cavalaria encontraram um fazendeiro valaquiano que guiava uma carroça cheia de conhaque e resolveram que mereciam um descanso depois de um longo dia de marcha. Pouco depois, oficiais da infantaria apareceram e perguntaram se eles não queriam compartilhar a bebida com os colegas que estavam a pé. E foi aí que as coisas ficaram... feias.

Seja lá qual tenha sido o motivo (as histórias divergentes passam a impressão de que cada unidade do exército tentava culpar a outra), parece que a maioria das fontes concorda que o auge do problema foi quando alguém deu um tiro para o alto e outra pessoa começou a gritar "os turcos, os turcos!". Os soldados da cavalaria (provavelmente bêbados) acharam que era sério e saíram anunciando, também aos berros, a presença dos turcos. Todo mundo se borrou de medo e começou a tentar fugir do exército imaginário. Em meio à escuridão, à confusão e à provável bebedeira, duas colunas de tropas se depararam uma com a outra, pensaram que estavam diante do temido inimigo e começaram a trocar tiros.

Quando todo mundo finalmente entendeu que não havia nenhum turco atacando, boa parte do exército austríaco tinha fugido, comboios e canhões tinham virado, e muitos dos suprimentos foram perdidos ou estragados. No dia seguinte, ao chegarem à cidade, os turcos encontraram vários austríacos mortos e os restos do seu acampamento.

As estimativas sobre o número de baixas variam bastante. Uma fonte diz apenas que "muitos" foram mortos e feridos; outra avalia que mil e duzentos foram feridos; ao mesmo tempo, o imperador José II, líder austríaco, desdenha do caso ao mencionar, em uma carta, que eles perderam "não apenas todas as panelas e tendas... mas também três peças da artilharia". Os registros mais famosos da batalha alegam que cerca de dez mil soldados morreram, mas esse com certeza foi um número que alguém inventou para melhorar a história. Conclusão: alguma coisa aconteceu, algumas pessoas podem ou não ter morrido, mas todo mundo concorda que foi uma idiotice sem tamanho.

Acho que é isso que chamam de "névoa da guerra".

Outro belo exemplo de exércitos que conseguiram derrotar a si mesmos ocorreu durante o Cerco de Petersburg, na Guerra de Secessão dos Estados Unidos, quando as tropas da União transformaram, de forma bem criativa, um triunfo tático em um contratempo humilhante. Depois de encurralar as forças confederadas dentro do forte, os soldados da União passaram um mês se preparando para o *golpe final* que destruiria as muralhas em uma única manobra dramática, cavando um túnel de cento e cinquenta metros sob o forte e colocando um monte de explosivos lá.

Quando a muralha foi detonada, nas primeiras horas da manhã de 30 de julho de 1864, o tamanho da explosão pareceu surpreender todo mundo. Ela matou centenas de soldados da Confederação e abriu uma cratera gigantesca, com cinquenta metros de largura e dez de profundidade. Depois de passar dez minutos encarando a cena, chocados, os homens da União atacaram — mas, infelizmente, eles tinham treinado as táticas para invadir o forte depois que a muralha fosse derrubada. Isso porque os soldados que passaram dias treinando eram negros e, no último minuto, o comandante ordenou que eles fossem substituídos por brancos, porque ficou preocupado com as aparências. Então, o batalhão caucasiano seguiu na direção dos confederados — e caiu na cratera.

É possível que os soldados tenham achado que a cratera os esconderia. Mas isso não aconteceu. Depois do susto da explosão, os confederados se reorganizaram e cercaram o enorme buraco cheio de inimigos. Reforços da União chegavam o tempo todo e, por algum motivo, resolviam se unir aos colegas na cratera. O comandante da Confederação depois descreveu a situação como "tiro ao alvo".

A principal lição de tática militar que podemos aprender com essa história é: não entre em buracos grandes no chão.

Outra lição essencial para qualquer estrategista militar em ascensão é que a comunicação em tempos de guerra é extremamente importante. Isso foi algo que a ilha de Guam, no Pacífico, aprendeu durante a Guerra Hispano-Americana de 1898, quando seus mestres coloniais espanhóis esqueceram-se de contar que eles estavam em guerra.

Como resultado desse descuido, quando uma pequena frota de navios americanos se aproximou da ilha surpreendentemente pouco protegida e deu treze tiros no velho forte espanhol de Santa Cruz, os dignitários de Guam remaram até os navios, agradecendo aos americanos pela saudação generosa e se desculpando por não poderem retribuir a cortesia, pois teriam que trazer os canhões do outro lado da ilha.

Depois de alguns minutos desconfortáveis, os americanos explicaram que não estavam dando oi, mas que queriam travar uma batalha, porque suas nações estavam em guerra. Os dignitários, um pouco chateados por terem virado prisioneiros, explicaram que fazia mais de dois meses que não recebiam mensagens da Espanha, então não sabiam de nada. Eles foram embora para discutir o que fazer, apesar de um dos mercadores locais ter continuado no navio para bater papo, já que era um velho amigo do capitão americano.

Guam se rendeu oficialmente alguns dias depois, e é território dos Estados Unidos desde então.

Enquanto espécie, não somos bons nisso de "não repetir os erros da história". Porém, poucos exemplos disso são tão gritantes quanto o fato de que, em 1941, Hitler copiou o mesmo erro fatal que Napoleão cometera anos antes; erro esse que minou por completo os planos dos dois de conquistar a Europa. O plano era, óbvio, tentar invadir a Rússia.

A única grande invasão da Rússia realmente bem-sucedida — ou melhor, da Rússia de Kiev, já que a Rússia não existia na época — foi executada pelos mongóis, que eram um povo ótimo quando se tratava desse tipo de coisa (como veremos daqui a alguns capítulos). Os poloneses conseguiram essa proeza por um tempo (e até controlaram Moscou por alguns anos), mas acabaram sendo expulsos. Os suecos também se ferraram bastante na sua única tentativa, sofrendo uma derrota que causaria o fim do Império Sueco. Em resumo, a lição que aprendemos aqui é: não faça isso.

Dos dois líderes, o raciocínio de Napoleão para seguir adiante com o plano foi levemente melhor que o de Hitler. Para começar, ele não tinha o exemplo do próprio fracasso para se guiar. Também não lhe faltavam motivos para se sentir confiante, considerando a série de impressionantes vitórias de sua *Grande Armée* àquela altura. Além disso, havia sua leve e válida desavença com o czar Alexandre, que parecia estar sabotando o bloqueio econômico com os britânicos, que eram a outra grande barreira para concluir sua conquista da Europa. Claro, uma briga sobre embargo econômico realmente não é um bom motivo para declarar hostilidades contra um país gigantesco. O erro fatal de Napoleão era que seus métodos para conseguir o que queria se resumiam a "começar uma guerra". Diplomacia e negociação não eram o seu forte.

Tomada a decisão de que invadiria *algum território*, ele deve ter concluído que a Rússia era uma opção mais fácil que a Grã-Bretanha, já que não precisaria atravessar mar nenhum para chegar lá. Então, sabendo que o clima russo só lhe daria três meses para uma invasão, ele bolou uma estratégia: ir direto para Moscou e forçar os russos a uma batalha campal, que o exército francês venceria, já que seus soldados tinham bastante motivação e eram bons no que faziam, ao contrário de um bando de mercenários comandados por aristocratas.

Infelizmente, esse foi um daqueles planos que parecem ótimos na teoria, mas que partem do princípio de que seu inimigo se comportará exatamente como você espera. Em vez disso, os russos deixaram que as tropas de Napoleão entrassem no país. Eles recuavam cada vez mais, evitando grandes batalhas sempre que possível e botando fogo em tudo para evitar que os franceses conseguissem suprimentos, simplesmente esperando o inverno chegar para resolver o problema. Quando Napoleão percebeu o que estava acontecendo, era tarde demais para escapar do frio, e suas tropas foram forçadas a seguir, em frangalhos, em uma marcha lenta e amargurada, de volta para casa. De repente, o restante da Europa viu fraqueza onde antes só havia força, e esse foi o começo do fim de Napoleão.

Em 1941, Hitler estava em uma situação parecida: após descobrir como era difícil invadir a Grã-Bretanha, já que ela é uma ilha e tal, ele resolveu que podia aproveitar o verão para invadir a União Soviética. Por um lado, o chanceler tinha um pacto de não agressão com os soviéticos na época, mas, por outro, ele era um nazista que odiava comunistas.

Hitler se deu ao trabalho de estudar a estratégia de Napoleão e bolou um plano esperto para evitar os mesmos erros. Em vez de mandar todas as suas tropas para Moscou, ele as dividiria em três, atacando Leningrado e Kiev junto com a capital soviética. E, ao contrário de Napoleão, ele não bateria em retirada quando o inverno chegasse, mas manteria sua posição e lutaria. Foram duas péssimas decisões. O que Hitler não percebeu foi que, apesar de sua tática ser diferente, o plano básico (atacar com rapidez e eficiência, vencer grandes batalhas com facilidade, presumir que isso levaria ao colapso imediato de seu oponente) era o mesmo. Assim como os defeitos (contar que o inimigo agiria como o esperado, a ausência de um plano B para o caso de sua estratégia não funcionar e a persistência em ignorar o pequeno detalhe que era o inverno russo).

Havia vários oficiais no alto comando alemão que poderiam ter apontado esses problemas, mas sempre que o chanceler sentia qualquer sinal de divergência ou descrença, ele excluía as pessoas de seus planos ou mentia para elas na cara dura. Era um processo de tomada de decisão baseado em arrogância, otimismo e se fazer de bobo.

Os erros de estratégia eram iguais aos que Napoleão cometera, e os resultados também foram praticamente os mesmos, só que mais mortais. Os alemães ganharam muitos territórios e venceram algumas batalhas, mas os soviéticos não entraram em colapso como o esperado. Eles usaram sua tática de botar fogo em tudo e enrolaram os nazistas até o inverno, quando os soldados se viram sem as roupas adequadas, sem suprimentos suficientes e sem anticongelantes para seus tanques. A ordem de Hitler para manterem a posição e lutarem no frio extremo em vez de baterem em retirada não foi bem-sucedida; só serviu para matar mais soldados. Pela segunda vez, um exército que conquistara boa parte da Europa continental fora enfraquecido de forma catastrófica por uma invasão desnecessária da Rússia, e o jogo da guerra virou.

Como bônus, mais ou menos na mesma época, os aliados da Alemanha no Japão estavam ocupados lançando o próprio ataque idiota contra Pearl Harbour, chamando uma superpotência para a guerra que ela tentava evitar. Se não fosse por essas duas péssimas escolhas, as Potências do Eixo poderiam ter ganhado. Isso só prova que, às vezes, a nossa capacidade de tomar decisões ruins pode acabar sendo útil em longo prazo (isto é, se partirmos do princípio que você não é fã do Hitler).

Com os americanos e os japoneses se enfrentando no Pacífico, surgiu uma chance de provar que a névoa da guerra pode se referir tanto à névoa metafórica quanto à literal. Foi isso que aconteceu em Kiska, uma ilha desolada, mas estrategicamente importante, no norte do Pacífico, que fica na metade do caminho entre o Japão e o Alasca (localizando-se na parte mais remota do estado). Essa foi uma das duas ilhas tomadas pelos japoneses em 1942, no auge da Segunda Guerra Mundial, o que deixou os americanos nervosos, já que era a primeira vez que seu território era invadido desde a batalha contra os britânicos em 1812. Não importava que o território fosse minúsculo e ermo.

No verão de 1943, trinta e quatro mil soldados americanos e canadenses se prepararam para reconquistar Kiska. Eles ainda estavam meio machucados e cansados da reconquista da Ilha Attu, uma experiência brutal e sangrenta na qual os japoneses lutaram até a morte. Os comandantes da operação tinham certeza de que a batalha em Kiska seria igualmente violenta. Quando chegaram lá, no dia 15 de agosto, as forças aliadas encontraram a ilha coberta com uma densa e congelante névoa. Nas condições terríveis do frio intenso, vento, chuva e zero visibilidade, as tropas seguiram, às cegas, pelo terreno pedregoso, andando com cuidado, tentando fugir de bombas e armadilhas, ao mesmo tempo em que os tiros dos inimigos invisíveis iluminavam a névoa ao redor. Por vinte e quatro horas, os soldados fugiram de franco-atiradores e subiram dolorosamente até o cume no centro da ilha, acompanhados por explosões abafadas de granadas, pelo barulho de incêndios próximos e por gritos indistintos que tentavam transmitir ordens ou boatos de forças japonesas se aproximando.

Foi só no dia seguinte, enquanto contavam as baixas — vinte e oito mortos, cinquenta feridos —, que perceberam a verdade: eles eram os únicos ali.

Os japoneses tinham abandonado a ilha quase três semanas antes. Os soldados americanos e canadenses estavam atirando uns nos outros.

Esse fato provavelmente poderia ter sido considerado um erro infeliz, mas compreensível, se não fosse por um detalhe. Semanas antes, a equipe de inspeção aérea tinha informado aos líderes da operação que não havia atividade japonesa na área e que desconfiavam que a ilha fora evacuada. Porém, depois da experiência em Attu, os comandantes se convenceram de que os japoneses jamais se renderiam e ignoraram os relatórios. Foi o suprassumo do viés de confirmação. Eles tinham tanta certeza daquilo que até dispensaram a oferta de mais algumas missões de inspeção aérea. É bem provável que essa seja uma lição sobre não fazer suposições.

Dois anos depois, em abril de 1945 — poucas semanas antes do fim da guerra —, o submarino alemão U-1206 estava no nono dia de sua viagem inaugural, patrulhando as águas da costa nordeste da Escócia. A embarcação era moderníssima, rápida, reluzente, de alta tecnologia e, mais importante, tinha uma privada nova e chique, que jogava os dejetos humanos no mar em vez de armazená-los em um tanque séptico.

A única desvantagem da privada é que ela era surpreendentemente difícil de usar. Tanto que, no dia 14 de abril, o capitão precisou chamar um engenheiro porque não conseguia dar descarga. Imagino que esse não seja o tipo de coisa que alguém queira fazer quando está tentando manter o ar de autoridade. Infelizmente, o engenheiro também não tinha talento para mexer na privada. Ao tentar operar o mecanismo de descarga, ele conseguiu abrir a válvula errada — fazendo com que a cabine rapidamente se enchesse de uma mistura desagradável de água do mar e excremento humano.

Não, não sei quem resolveu que "vamos botar uma válvula nessa privada *bem* parecida com a descarga, mas que, na verdade, permite a entrada de água do mar no nosso grande submarino nazista" seria uma boa ideia, mas, pelo visto, era alguém que seguia a mesma escola de pensamento que o cara que colocou aquele ponto de exaustão na *Estrela da Morte*.

Alagar a cabine com um coquetel fedorento de fezes e salmoura seria ruim o suficiente, mas as coisas pioraram bastante quando o esgoto vazou do deque para as baterias do submarino, que foram sabiamente instaladas bem abaixo do banheiro. As baterias começaram a liberar grandes quantidades de cloro mortal, fazendo com que a única opção do capitão Schlitt fosse voltar à superfície — quando foi imediatamente capturado pela Força Aérea Real, sendo forçado a abandonar o submarino e deixá-lo afundar. Assim, o U-1206 teve o infeliz legado de ser a única embarcação da Segunda Guerra Mundial a ser vencida por uma privada mal projetada.

Essa história nos oferece lições valiosas sobre a importância fundamental do design de interface do usuário em ambientes de alta pressão e a necessidade de separar fisicamente partes da infraestrutura que são essenciais para a missão. Mas, para ser sincero, só a incluí no livro porque foi uma situação muito engraçada.

É óbvio que ter um plano é crucial para o sucesso militar. Mas, às vezes, acontece de um plano ser perspicaz e evasivo demais para que dê certo. Se você já jogou xadrez contra alguém muito, muito melhor, sabe como isso acontece: depois de passar uma eternidade tentando prender seu oponente em uma armadilha, você percebe que acabou derrotando a si mesmo, porque ele previu todos os seus movimentos. Foi basicamente isso que o general Henri Navarre fez no Vietnã, tirando o fato de que ele estava lidando com pessoas, não com peças de tabuleiro. Como seu compatriota Napoleão, o general bolou um plano perfeito, mas apenas se os seus oponentes agissem como o esperado.

O ano era 1953, e o objetivo de Navarre era derrotar de forma esmagadora e humilhante as forças dos Viet Minh (que estavam fazendo um ótimo trabalho se rebelando contra o comando colonial da Indochina francesa) para enfraquecer seus argumentos nas iminentes negociações de paz. Então, ele resolveu montar uma armadilha muito engenhosa. O general construiria uma nova e enorme base em uma área remota, ameaçando as vias de suprimento dos Viet Minh, tentando atraí-los para a batalha. A base em Điện Biên Phủ estaria cercada por montanhas cobertas de mata fechada, o que daria aos vietnamitas uma forma de se esconderem e observarem os inimigos do alto. Os franceses estariam longe demais de qualquer reforço. Seria um alvo tentador demais para os Viet Minh resistirem. Porém (segundo o plano), a tecnologia superior da França os venceria com facilidade: seu domínio do ar permitiria que os suprimentos chegassem por helicóptero, enquanto seu poder de fogo seria triunfante na batalha, já que seria impossível para os vietnamitas transportarem artilharia pela selva. Ótimo plano. Navarre mandou seus homens montarem a base e esperou.

E esperou. Por meses, nada aconteceu. Nenhum ataque veio. O que os Viet Minh estavam fazendo?

Bom, eles estavam transportando artilharia pesada pela selva. Uma mistura de tropas vietnamitas e civis locais passaram meses desmontando as armas, levando as partes o mais rápido possível para Điện Biên Phủ, atravessando quilômetros de montanhas de mata fechada, e então remontando tudo. Depois disso, simplesmente esperaram começar a época das monções e, quando os soldados franceses estavam atolados na lama e seus helicópteros não tinham visibilidade para entregar suprimentos, eles atacaram. Os homens de Navarre, que esperavam por um ataque suicida de camponeses correndo com rifles velhos, se surpreenderam ao serem bombardeados por uma artilharia pesada que eles não imaginavam que existisse ali.

As tropas francesas aguentaram o cerco por dois meses antes de serem derrotadas. A derrota foi tão esmagadora e humilhante que o governo francês caiu, e os Viet Minh ajudaram a conquistar a independência do território que ficou conhecido como Vietnã do Norte. Depois disso, a história é conhecida: com o Vietnã dividido em dois estados, os Viet Minh que permaneceram no sul se transformaram nos vietcongues, que logo começaram uma rebelião violenta contra o governo. Os Estados Unidos resolveram se envolver para ajudar os aliados sulistas por causa daquela história do anticomunismo da Guerra Fria, e o Tio Sam não se mostrou muito melhor do que os franceses ao travar basicamente a mesma guerra. A consequente Guerra do Vietnã durou quase duas décadas, e o número de mortos varia entre um milhão e meio e três milhões. Tudo isso aconteceu, em parte, porque Henri Navarre bolou uma armadilha sagaz demais.

Porém, o exemplo mais marcante nos anais dos fracassos militares vem de outra linha de frente que tentava agitar a Guerra Fria — um no qual o viés cognitivo de um pequeno grupo de pessoas fez uma superpotência ser humilhada por um país minúsculo.

A orelha da baía dos Porcos

O fracasso americano durante a tentativa de invadirem Cuba pela baía dos Porcos não é apenas um exemplo clássico de como funciona o pensamento de grupo — foi literalmente daí que tiramos essa expressão. Ela foi bolada pelo psicólogo Irving Janis e se baseia em seu estudo sobre como o governo Kennedy conseguiu cometer uma mancada tão grande.

É provável que a operação na baía dos Porcos tenha sido o incidente mais humilhante na longa e hilária lista de fracassos americanos para derrubar o governo de uma pequena ilha que é praticamente sua vizinha de porta. Apesar de não ter sido o mais estranho. (Esse título vai para a operação em que a CIA comprou um monte de moluscos explosivos para assassinar Fidel Castro, que adorava mergulhar.)

Em resumo, o plano era este: os Estados Unidos treinariam um grupo de cubanos exilados que eram contra o governo de Castro, e eles iniciariam uma invasão com apoio aéreo americano. Quando vissem as vitórias fáceis contra o exército cubano decrépito, os habitantes da ilha os aceitariam como seus libertadores e se uniriam contra os comunistas. Simples. Afinal, eles já tinham feito isso na Guatemala.

A coisa começou a degringolar quando John F. Kennedy venceu Richard Nixon nas eleições para presidente. O plano fora desenvolvido partindo do princípio de que Nixon, antes vice-presidente e incentivador do esquema, seria o novo líder da Casa Branca. Kennedy era bem menos entusiasmado e, não sem motivo, tinha mais receio de começar uma guerra com os soviéticos, então insistiu em algumas mudanças: o apoio dos Estados Unidos deveria ser completamente secreto (logo, nada de apoio aéreo), e o lugar da invasão deveria ser longe de grandes populações civis, meio que invalidando o elemento "desencadear uma rebelião popular".

Nesse ponto, alguém devia ter percebido que a operação (que, para ser sincero, já era otimista demais), não fazia mais sentido algum. Porém, ainda assim, todo mundo seguiu em frente sem nem pestanejar. Perguntas não foram feitas, suposições não foram contestadas. O historiador Arthur Schlesinger, um conselheiro do governo que era contra a operação, disse depois que as reuniões sobre o assunto tinham "um clima curioso de consenso presumido" e que, apesar de ele achar que o plano era idiota, não disse nada durante esses encontros. "Só posso dizer que não fiz nada além de algumas perguntas tímidas ao relatar que o impulso de botar a boca no trombone contra aquela bobagem caía por terra diante das circunstâncias da discussão", escreveu ele. É compreensível, todos nós já estivemos em uma reunião assim.

Quando o ataque começou, em abril de 1961, praticamente tudo que podia dar errado deu. Sem a força aérea americana para abater a aeronáutica de Castro, o trabalho ficou por conta dos exilados cubanos, que pilotariam aviões nicaraguenses de bombardeio disfarçados de aviões cubanos. O plano era aterrissar uma das aeronaves com estardalhaço em Miami, e então o piloto anunciaria para o mundo que era um desertor do exército cubano que decidira bombardear as bases aéreas por conta própria. Essa farsa perspicaz durou apenas o tempo necessário para as pessoas perceberem que aquele avião não era igual aos usados pela força militar de Cuba.

O grupo invasor, que devia chegar em segredo, escondido pela escuridão da noite, logo foi visto por pescadores locais, que, em vez de saudarem os exilados como seus libertadores, anunciaram sua presença e pegaram seus rifles para atirar neles. ("Nós pensamos: é uma invasão, pessoal, vamos tomar cuidado! Estão tentando nos invadir", lembrou um dos pescadores, Gregorio Moreira, para a BBC, no aniversário de 15 anos da invasão.) Os invasores logo descobriram que era bem difícil sair da praia que usariam para tomar o país, e a situação só se complicou quando um grande contingente do exército cubano (que acabou sendo bem eficiente, nada decrépito) logo apareceu e começou a atirar. Ah, assim como um avião da força aérea cubana, que, no fim das contas, não foi destruído pelas aeronaves de bombardeio falsas.

A essa altura, teria sido bem útil se os soldados que estavam na praia tivessem ajuda aérea, mas Kennedy ficou tão nervoso por ninguém ter sido enganado pelo truque dos "pilotos cubanos desertores" que se recusou a autorizar a operação. Então, eles passaram dias presos no litoral, lutando, com crescente desespero, enquanto sua munição acabava.

Três dias depois da inútil invasão, já estava mais do que claro que os soldados nunca sairiam da ilha sem uma intervenção dramática, e Kennedy finalmente mudou de ideia e autorizou o apoio aéreo. Mas os pilotos cubanos se sentiram traídos pela forma como a missão ocorrera e se recusaram a decolar. Então, os Estados Unidos desistiram de fingir que não estavam envolvidos e convocaram membros da Guarda Nacional do Alabama para pilotar os aviões disfarçados, que receberiam apoio de um monte de aeronaves de guerra americanas normais e totalmente óbvias. Isso poderia ter dado uma chance aos invasores na praia, se não fosse pelo último detalhe glorioso de incompetência: eles esqueceram de que havia uma diferença de fuso horário entre a Nicarágua, onde os aviões de bombardeio estavam, e Miami, onde as aeronaves americanas estavam, fazendo com que os dois grupos nem chegassem a se encontrar. Vários aviões foram derrubados.

No fim das contas, a situação só serviu para os Estados Unidos passarem vergonha, Fidel Castro se firmar ainda mais no poder e mais de mil soldados serem capturados; eles só foram liberados alguns anos depois, quando os americanos pagaram um resgate de cinquenta milhões.

O ponto positivo foi que Kennedy aprendeu com sua decisão fracassada — e isso talvez tenha salvado o mundo inteiro ao permitir que os americanos mantivessem as cabeças mais frias durante a Crise dos Mísseis Cubanos no ano seguinte. E o impacto foi tamanho que, felizmente, os Estados Unidos nunca mais se envolveram em uma situação em que os líderes tenham permitido que o pensamento de grupo os levasse a uma invasão mal planejada, baseada em informações inconclusivas, sem qualquer plano ou estratégia clara de fuga.

Ops.

AS SEIS GUERRAS MAIS INÚTEIS DA HISTÓRIA

A Guerra do Balde

Estima-se que duas mil pessoas tenham morrido nessa guerra de 1325 entre as Cidades-Estados italianas de Modena e Bolonha, que começou quando alguns soldados modenenses roubaram um balde de um poço em Bolonha. Modena venceu e imediatamente roubou outro balde.

A Guerra Anglo-Zanzibari

A guerra mais rápida da história durou menos de quarenta minutos. Um sultão zanzibari não aprovado pelos britânicos tomou o trono e se trancou no palácio, contra o qual os britânicos atiraram por trinta e oito minutos antes de ele fugir.

A Guerra do Futebol

Em 1969, um longo período de hostilidades entre El Salvador e Honduras se transformou em uma guerra de verdade — amplamente incentivada pela violência durante uma partida tensa entre os dois países por uma vaga na Copa do Mundo. (El Salvador ganhou o jogo; a guerra foi empate.)

A Guerra da Orelha de Jenkins

Uma guerra entre a Grã-Bretanha e a Espanha, que durou mais de uma década e custou dezenas de milhares de vidas, começou porque, em 1731, alguns corsários espanhóis cortaram a orelha de um capitão naval. No fim, as hostilidades se expandiram para a Guerra de Sucessão Austríaca, da qual praticamente todos os grandes países europeus participaram.

A Rebelião do Penico

Robert Curthose era o filho mais velho de Guilherme, o Conquistador, e sentiu necessidade de começar uma rebelião contra o pai quando Guilherme não foi ríspido o suficiente ao punir os dois filhos mais novos depois que eles viraram um penico cheio na cabeça de Robert.

A Guerra do Banco de Ouro

Uma guerra entre o Império Britânico e o povo axante da África Ocidental, que começou quando o governador britânico deu um chilique sobre o "banco normal" que lhe foi oferecido, exigindo se sentar no Banco de Ouro — um trono sagrado em que ninguém podia sentar. Os britânicos venceram a guerra, mas o sujeito nunca se sentou no banco.

7

A festa superdivertida e legal do colonialismo

A compulsão humana pela exploração, pela incessante busca por novos horizontes, é uma das nossas características mais fortes. É por causa dela que nossa espécie e seus primos próximos se espalharam pelo mundo em vários momentos diferentes, em um piscar de olhos em termos de evolução. Esse impulso moldou o mundo moderno — um resultado imbecil, caótico e muito injusto de milênios de migrações e trocas, colonizações e guerras.

Foi o desejo de explorar que levou Cristóvão Colombo a navegar pelas vastas e vazias águas azuis do Atlântico, em 1492 — mas também foi isso que fez com que ele batesse em um monte de pedras alguns meses depois, como um idiota.

O ano de 1492 deu início ao que agora conhecemos como "Era dos Descobrimentos" — quer dizer, isso se você não fosse uma das pessoas que já moravam nos lugares sendo descobertos. As rotas terrestres de comércio entre a Europa e a Ásia eram tranquilas e fáceis de percorrer quando o Império Mongol se estendia por boa parte da Eurásia (falaremos sobre isso em breve), mas agora elas estavam bloqueadas graças à combinação da peste negra com o crescimento do Império Otomano. E, assim, cheia de novas tecnologias, conhecimento e louca para enriquecer, a Europa resolveu se lançar ao mar. E o que começou como viagens em prol do comércio para a Ásia, a África e as recém-descobertas Américas, logo se transformaria em missões de ocupação e conquista.

É de conhecimento geral o fato de que Cristóvão Colombo descobriu (tá bem, "descobriu") as Américas acidentalmente, dando de cara com o Caribe por engano, enquanto tentava encontrar um atalho para a Índia que não envolvesse passar pelo sul da África. Mas há muitos mitos sobre *qual* foi o seu engano exatamente.

Em uma versão popular, Colombo provou que estava certo em acreditar na teoria herética de que o mundo era redondo; os idiotas religiosos da Europa achavam que ele estava condenado a cair da borda do fim do mundo. Sinto te dizer que isso é uma mentira deslavada. Na verdade, praticamente todos os europeus instruídos da época (e boa parte dos não instruídos também) sabiam, há muito tempo, que o mundo era redondo. Esse conhecimento era tão disseminado que, duzentos anos antes da jornada de Colombo, o teólogo Tomás de Aquino citava o fato em seus trabalhos, despreocupadamente, como exemplo de algo que todos aceitavam ser verdade. Levando em consideração que ainda existe uma minoria persistente que duvida da história oficial sobre o Grande Globo, a teoria da Terra plana talvez seja tão popular agora quanto era no século XV. Em 2019, um desses grupos vai organizar um cruzeiro, o que será, provavelmente, uma oportunidade interessante para comprovar suas ideias. Parabéns, pessoal.

Então, não, o problema não era o ceticismo sobre a Terra ser redonda. A descrença no projeto de Colombo fora causada por um motivo bem diferente. A questão era que ele usara unidades de medida completamente incorretas, errando os cálculos.

A missão inteira era baseada em seus próprios cálculos sobre duas coisas: o tamanho da Terra e o tamanho da Ásia. Nos dois casos, os resultados que ele encontrou eram totalmente fora da realidade. Para começo de conversa, Colombo resolveu que a Ásia era bem maior do que ela já é (ou seja, bem grande), e que, sendo assim, com bons ventos, ele encontraria o Japão a vários milhares de quilômetros ao leste de sua localização real. Pior ainda, seus cálculos da circunferência do globo se baseavam no trabalho de um astrônomo persa do século IX chamado Ahmad ibn Muhammad ibn Kathir al-Farghani. Não era um bom começo, considerando que foram feitas estimativas mais precisas desde que o matemático grego Eratóstenes de Cirene praticamente chegara, mil e setecentos anos antes, ao valor exato. Mas esse ainda não foi o maior erro de Colombo.

Seu maior erro foi presumir que, quando al-Farghani falava de "milha", ele estava se referindo à milha romana, que equivalia a mil quatrocentos e oitenta metros. Só que não era o caso. Al-Farghani usava a milha árabe, equivalente a dois mil metros. Então, quando o astrônomo dizia que algo estava a um determinado número de milhas, ele se referia a uma distância muito, muito maior do que Colombo imaginava.

Fãs do filme *Isto é Spinal Tap* entenderão o que aconteceu. Colombo confundiu duas unidades de medida completamente diferentes, bolando um modelo tão pequeno que chegava a ser ridículo. Ele achava que o mundo tinha três quartos do seu tamanho real. Juntando isso com a decisão de reposicionar o Japão, ele concluiu que seria necessário levar suprimentos para uma viagem bem mais curta. Muitos de seus contemporâneos disseram "acho que você errou o tamanho do mundo, Cris", mas ele permaneceu convicto de seus cálculos. Então, no geral, foi uma sorte imensa seu navio ter encontrado o Caribe. (Ninguém cogitara a existência de um continente extra no espaço em que não havia a Ásia.)

Acho que vale mencionar que essa presunção errônea sobre o tipo de milha que Al-Farghani usava reflete um raciocínio bem eurocêntrico da parte de Colombo. Mas sejamos sinceros: isso não foi, nem de perto, a pior coisa que ele fez por ter um raciocínio eurocêntrico demais.

É tentador se perguntar como a história do mundo teria sido diferente se Colombo fosse melhor em matemática e nunca tivesse partido em sua viagem. A resposta é: provavelmente continuaria tudo igual, mas talvez mais pessoas falassem português. Os portugueses eram os melhores marinheiros e navegadores da Europa naquela época (a expedição de Colombo só foi patrocinada pela Espanha porque Portugal a rejeitou primeiro, alegando que sabia muito bem que as contas estavam erradas), e eles iriam a várias partes das Américas nos anos seguintes. Pedro Álvares Cabral chegou ao Brasil em 1500. Um ano depois, os irmãos Corte-Real atracaram em Labrador (ou Terra Nova), onde, em um sinal do que estava por vir, sequestraram cinquenta e sete nativos e os venderam como escravos.

Na verdade, o que teria feito diferença na história das relações entre Velho Mundo-Novo Mundo seria se alguém, literalmente qualquer pessoa, tivesse sido capaz de reprimir seu impulso natural de assassinar ou sequestrar todo mundo que visse pela frente. Cinco séculos antes de Colombo, os vikings foram os primeiros europeus a se estabelecerem nas Américas, com Leif Eriksson saindo da colônia viking na Groelândia e encontrando o que viriam a chamar de Vinlândia ("Terra do Vinho", que provavelmente se tornou a Terra Nova dos dias atuais). Quando comparadas à árida e extremamente chata Groelândia, as florestas e as frutas da Vinlândia devem ter parecido ótimas para os vikings, e eles resolveram instaurar uma colônia comercial ali por alguns anos. Infelizmente, suas chances de estabelecer comércio com os habitantes locais da Vinlândia (provavelmente o povo thule, ou *skraelings*, como os vikings os chamavam) falharam devido a um incidente que ocorreu na primeira vez em que os dois grupos se encontraram.

Foi o primeiro encontro entre europeus e americanos registrado na história, e aconteceu mais ou menos assim: os vikings se depararam com dez nativos dormindo sob suas canoas viradas e mataram todo mundo.

Puta merda, pessoal.

Não foi de surpreender que, depois disso, os locais não quisessem negociar com eles. Também era comum que os dois grupos brigassem — e isso inclui uma batalha em que os assustadores vikings, munidos com espadas, quase foram derrotados por um "mastro com uma bola enorme na extremidade" (provavelmente uma bexiga animal inflada), "que voou sobre a cabeça dos homens e fez um som aterrorizante quando caiu". Os vikings ficaram com tanto medo desse balão esquisito que teriam perdido a batalha se Freydís Eiríksdóttir, irmã de Leif, não tivesse assustado os *skraelings* ao mostrar seus seios.

Por conta dessa e de outras brigas menos estranhas, a colônia da Vinlândia nunca prosperou. Os vikings da Groelândia a abandonaram após uma ou duas décadas. Além disso, a própria colônia da Groelândia — que só foi fundada porque exilaram Erik, o Ruivo, por assassinar pessoas — perdeu as forças nos séculos seguintes, conforme o restante dos vikings foi perdendo o interesse por ela.

Se as coisas tivessem sido um pouco diferentes na Vinlândia, de preferência com menos mortes, talvez a história realmente tivesse seguido um rumo diferente. Uma rota de comércio bem estabelecida entre as Américas e a Europa, com todas as trocas de conhecimento e habilidades que ela poderia proporcionar, talvez resultasse em uma relação mais branda entre as duas populações. Quem sabe assim as diferenças tecnológicas e militares que tornaram a colonização europeia no século XVI tão injusta teriam sido menos dramáticas. (E talvez isso tivesse dado aos nativos mais tempo para desenvolver resistência às doenças contagiosas do Velho Mundo, em vez de serem infectados por várias delas de uma vez só.)

Da mesma forma, as coisas poderiam ter sido diferentes se Abubakari II, o soberano do império maliano no século XIV, tivesse voltado de suas viagens. Imperador de um dos maiores e mais ricos reinos da época, que englobava boa parte da África Ocidental, ele renunciou ao trono, abrindo mão do poder e da fortuna para satisfazer sua curiosidade a respeito da existência de um "banco" do outro lado do oceano. Em 1312, Abubakari saiu do que hoje seria a Gâmbia com uma frota de dois mil navios que nunca mais foram vistos. Alguns historiadores malianos afirmam que o imperador pode ter alcançado a costa do Brasil, mas, mesmo que isso tenha acontecido, ele nunca voltou para contar essa história — que, sejamos sinceros, é um componente crucial para o mercado da exploração.

Também é possível que as coisas não pudessem mesmo ser diferentes: nós nascemos assim. Quando você analisa a conjuntura, percebe que boa parte da nossa história é formada por relatos de impérios crescendo, se desintegrando e matando uns aos outros. O mesmo aconteceu com a agricultura, com os líderes e com a guerra — todas as coisas que ajudaram o surgimento da era dos impérios. Nada disso se tornou um elemento permanente das nossas vidas porque era o melhor plano em longo prazo para a humanidade, mas sim porque, depois que *alguém* decidiu botá-los em prática, todo mundo tinha que fazer igual, ou seria esmagado. É como uma briga de bar em um velho filme de faroeste, exceto pelo fato de que muita gente não se levantou do chão quando o piano voltou a tocar.

Em 1492, ao encalhar acidentalmente o *Santa Maria* na costa de Hispaniola, Colombo encontrou uma população de centenas de milhares de pessoas da tribo indígena dos taínos. Pouco mais de duas décadas depois, após os espanhóis apresentarem a mineração, a escravidão e as doenças aos nativos, só restavam trinta e dois mil habitantes na ilha. Colombo era péssimo em fazer contas, claro, mas esse com certeza não foi seu pior erro.

Julgar o passado não é necessariamente o trabalho dos historiadores. Eles desejam descobrir, descrever e contextualizar; compreender e explicar como as vidas eram vividas, rastreando as entrelaçadas redes de poder que deram origem ao mundo que conhecemos hoje. É possível fazer tudo isso de forma neutra, sem opinar sobre o nível de maldade ou bondade dessas ações. De fato, considerando a dor de cabeça que é desvendar a complexidade disso tudo, julgar o passado não é uma tarefa simples.

Por sorte, o dever deste livro é *exatamente* julgar o passado, então vamos explicar uma coisa rapidinho: o colonialismo foi ruim. Muito, muito ruim.

Quão ruim? Bem, estima-se que, só no século XX, as mortes causadas pelo colonialismo europeu estejam na casa dos cinquenta milhões, um número equivalente aos crimes de Hitler, Stálin e Mao — e isso foi no século em que os impérios coloniais estavam entrando em colapso. No período após a colonização das Américas, uma estimativa bem conservadora afirma que noventa por cento da população do continente morreu por conta de doenças, violência e trabalho forçado — mais uma vez, um valor na casa de dezenas de milhões. O único motivo pelo qual não podemos ser mais específicos é pela dificuldade de mensurar a quantidade de habitantes locais antes da aparição dos europeus; nós literalmente não sabemos o que perdemos.

É claro que só o número de mortos, terrivelmente impreciso, não conta a história toda. O comércio de escravos africanos, a invenção do campo de concentração, a escravidão sexual do império japonês, o sistema de *encomienda* dos espanhóis nas Américas (onde os conquistadores ganhavam gangues de trabalho formadas por nativos, como colaboradores de uma startup que recebem ações da empresa na forma de funcionários) — a lista de horrores é enorme e extremamente triste. E podemos adicionar a isso a variedade de culturas que foram aniquiladas, histórias que foram destruídas e a vasta transferência ilegítima de riquezas de uma parte do mundo para outra, que ainda é evidente nas oportunidades e nos confortos que você provavelmente tem ao seu dispor hoje, dependendo do lugar do mundo em que nasceu.

Como eu disse: ruim. Esta parte do livro não é muito engraçada, sinto muito.

Não deveria ser necessário explicar nada disso, mas estamos passando por um período bem intenso de retrocesso em que algumas pessoas insistem que o Colonialismo Na Verdade Foi Ótimo, então vamos lá. O raciocínio, em resumo, é que os benefícios do colonialismo para os colonizados e seus descendentes — a modernização da economia, a construção de infraestrutura, a troca de conhecimento científico e médico, a introdução do conceito de Estado de direito — superam os erros terríveis que cometemos. Porém, não importa como você encara as coisas, essa ideia ainda se baseia na alegação de que os povos colonizados *não eram civilizados*; que eles eram incapazes de se autogovernarem, imunes ao progresso e insuficientemente avançados para usar os seus recursos naturais de forma apropriada. Eles tinham todo aquele ouro à disposição, coitadinhos, e não sabiam seu valor.

Para começar, esse tipo de pensamento vem mais dos mitos sobre as sociedades pré-coloniais do que de como elas eram de verdade e infla a superioridade temporária e extremamente duvidosa de alguns países a respeito de sua tecnologia militar, criando um imutável absolutismo moral sobre Quem Deveria Mandar nas Coisas. Além disso, ele se baseia na presunção implícita de que, sem a colonização, o restante do mundo teria permanecido estagnado pelos últimos cinco séculos, ou que não havia outra maneira concebível — além de invadir um país e proclamá-lo seu — de as nações trocarem conhecimento científico e técnico entre si. Sem essa colonização tão generosa, implica-se que todo mundo ainda estaria preso no século XVII. Olha, isso parece improvável, ainda mais considerando as trocas transnacionais de ideias que levaram aos avanços tecnológicos da Europa. Mas é impossível provarmos algo assim, já que não existem países suficientes que não foram colonizados nem colonizadores para verificarmos. A Tailândia foi um dos poucos que conseguiram escapar. Acabei de dar uma olhada no Google e parece que eles têm eletricidade por lá, então, com base na minha amostragem, suspeito que esse argumento seja idiota.

Porém, essa discussão não leva a nada, no fim das contas, porque os humanos geralmente não esperam que se passem centenas de anos para distinguir o certo do errado fazendo uma retrospectiva do custo-benefício de suas ações. Parece mais uma tentativa de tentar justificar aquilo em que queremos acreditar. Por isso, a conversa sobre colonialismo tende a envolver duas pessoas gritando, repetidas vezes, "Mas e os trens?" e "Sim, mas e o Massacre de Amritsar?" até alguém perder a vontade de viver. (Só para deixar claro, não, trens não justificam massacres, e digo isso como alguém que gosta muito de trens.)

Não estou afirmando que o colonialismo seja responsável por todos os males do mundo; nem que, antes da chegada dos colonizadores, as sociedades nativas fossem um maravilhoso oásis de paz e respeito, em que todos viviam em harmonia com a natureza, porque não eram. Espero que, a essa altura do livro, já esteja óbvio que a capacidade de ser burro é uma característica comum a todos na história da humanidade. Só estou dizendo que, enquanto espécie, nós deveríamos tentar pensar no nosso passado com base naquilo que realmente aconteceu, em vez de nos agarrarmos a um desejo vago e nostálgico de narrativas simplistas sobre as glórias do império.

Só para dar um exemplo: a ideia de que o colonialismo trouxe um governo iluminado e enriqueceu o Estado de direito dos países colonizados não bate com os vários tratados assinados entre as forças colonizadoras e os povos indígenas — uma história que não demonstra, nem um pouco, o tal "respeito pelo Estado de direito". Essa noção seria uma novidade para, digamos, os índios norte-americanos, que assinaram centenas de tratados com os britânicos e os governos americanos da época, mas os viram sendo ignorados e suas terras sendo tomadas. Seria uma novidade para os maoris, que assinaram o Tratado de Waitangi, no qual uma série de erros de tradução entre as versões inglesa e maori do texto levaram a ambiguidades bastante convenientes sobre o que exatamente fora acordado. Seria uma novidade para o povo xhosa, que vivia no sul da África, na colônia da Cafraria Britânica (sim, eles batizaram o território com uma ofensa racial às pessoas negras), que, em 1847, foi forçado a observar Sir Henry Smith, seu novo governador, rir enquanto simbolicamente rasgava um tratado de paz diante de seus olhos, obrigando cada um dos líderes nativos a beijar suas botas.

Não estou usando metáforas, aliás. Ele fez isso mesmo. Vale mencionar que a história britânica geralmente se lembra de Sir Henry Smith como uma figura heroica e corajosa, imortalizado em um romance popular que narra seu casamento de conto de fadas com [consultando minhas anotações] uma garota de 14 anos.

Tudo isso nos faz voltar a um dos temas deste livro: nossa capacidade profunda e consistente de nos iludirmos sobre o que realmente estamos fazendo. A manutenção de um império requer esforços ativos e contínuos para mitificar o presente e esquecer a realidade do passado. Tal dissonância foi aplicada desde o começo: é por isso que os escritos de Colombo mostram que ele acreditava mesmo que estava agindo de acordo com a vontade de Deus ao espalhar sua fé cristã ao mesmo tempo em que julgava o potencial dos taínos para submissão e servidão. É por isso, também, que os britânicos destruíram milhares de documentos coloniais quando saíram da África no fim da era imperial, tacando fogo em tudo e jogando os restos no mar, em uma tentativa de apagar a história e instituir uma amnésia coletiva. (Em Uganda, o ato recebeu o adequado nome de "Operação Legado".)

E em momento algum ela fica mais clara do que na obscura ironia do ato que provavelmente foi o mais horrendo da era colonial: quando o rei Leopoldo II da Bélgica comprou mais de dois milhões de quilômetros quadrados da bacia do Congo, fez deles sua propriedade e os transformou em um apavorante e lucrativo holocausto de trabalho escravo, causando a morte de cerca de dez milhões de pessoas em duas décadas. A ironia é a seguinte: oficialmente, isso foi feito em nome da caridade. Em 1885, a terra foi doada para a Associação Internacional Africana, uma organização caridosa criada por Leopoldo. Isso ocorreu na Conferência de Berlim — uma reunião em que os países europeus dividiram o continente africano entre si, iniciando a "Partilha de África" e levando o movimento de colonização a novos extremos. A missão supostamente filantrópica da Associação Internacional Africana era levar "civilização" ao povo do Congo. Na verdade, o que ela fez foi transformar o país inteiro em uma plantação imensa de borracha, punindo com a morte, perda de mãos, pés ou narizes os habitantes que não conseguissem cumprir as metas de produção. Como os belgas queriam garantir que seus exércitos não desperdiçassem balas caras em atividades não essenciais — qualquer coisa diferente de matar pessoas —, os soldados deviam apresentar um número determinado de mãos decepadas para provar quantas execuções realizaram. Uma bala por mão. Assim, cestas cheias de mãos se tornaram um tipo de moeda corrente na região, que era colhida de vivos e mortos, sem distinção.

E é claro que Leopoldo batizou seu país de "Estado Livre do Congo".

Então, sim. O colonialismo foi ruim.

Este livro trata de fracassos e, apesar de o colonialismo ter sido, sem sombra de dúvidas, ruim, ele não pode ser considerado um *fracasso*. Se você conseguir ignorar as questões éticas e só pensar no resultado final, o movimento foi um sucesso estrondoso, e muitas pessoas por trás dele viveram como reis (principalmente aquelas que já eram, de fato, reis).

Porém, enquanto o quadro geral mostra que, sim, as forças colonizadoras foram bem-sucedidas e ficaram podres de ricas enquanto roubavam o restante do mundo, acabamos deixando de lado o fato de que boa parte da corrida em busca de colônias foi muito incompetente. Toda aquela automitificação sobre aventureiros heroicos, combinada com a busca por um dinheiro supostamente fácil, acabou atraindo — sem meias-palavras — um monte de gente idiota pra caralho para o projeto imperial.

A "Era dos Descobrimentos" foi protagonizada pelo efeito Dunning-Kruger. Uma série interminável de homens profundamente ignorantes, inexperientes e, com frequência, insanos recebeu expedições para liderar ou colônias para administrar, apenas com base no fato de que eles eram muito autoconfiantes e aparentavam competência.

Vejamos, por exemplo, John Ledyard, a quem os britânicos confiaram uma campanha para buscar a muito requisitada nascente do rio Níger, apesar de sua única experiência na África ter sido uma parada náutica na extremidade sul. Nascido na então colônia de Connecticut, ele ganhou a reputação de grande explorador ao escrever um livro popular sobre suas viagens como membro da tripulação do Capitão Cook. Suas aventuras sozinho, no entanto, deixaram um pouco a desejar.

Uma habilidade que Ledyard com certeza tinha era a de fazer amizade com pessoas importantes e convencê-las a lhe dar dinheiro. Seu primeiro empreendimento foi uma proposta de empresa de comércio de peles, que nunca se concretizou. Porém, durante uma visita a Paris em busca de parceiros de negócios, ele recebeu o patrocínio de vários dignitários — incluindo Thomas Jefferson, o marquês de Lafayette e vários outros que não fazem parte do elenco de *Hamilton* — para uma expedição completamente diferente. Agora, seu plano ousado era atravessar a Rússia e chegar ao estreito de Bering, cruzar o Alasca e explorar toda a costa oeste americana. Jefferson, que teve essa brilhante ideia, descreveu Ledyard como "um homem extraordinário... e de coragem e ousadia implacáveis".

Ledyard perdeu os sapatos no caminho até São Petersburgo, mas pegou uma grana emprestada e conseguiu chegar até Irkutsk, onde a aventura terminou após ele ser preso como espião.

Foi só quando finalmente voltou para Londres, em 1788, sem um tostão furado, que ele recebeu a oportunidade de liderar a expedição até a "África mais escura", como era conhecida. Apesar de Ledyard não falar árabe e não ter o melhor dos currículos, o secretário da Associação Africana — grupo que selecionava pessoas para o trabalho — ficou imediatamente impressionado. O recrutador, um tal de Sr. Beaufoy, se recorda, um tanto emocionado, que no seu primeiro encontro com Ledyard "ficou impressionado com sua masculinidade, a amplidão de seu peito, a simpatia de sua fisionomia e a inquietude de seus olhos... Eu lhe perguntei quando partiria. 'Amanhã cedo', foi sua resposta". Talvez você ache que uma única noite seja um período bem curto para se preparar para uma expedição em um terreno desconhecido, em um continente que você só viu ao passar de navio, mas talvez seu peito não seja tão masculino quanto o de John Ledyard.

No fim das contas, Ledyard só conseguiu chegar ao Cairo, onde contraiu uma "enfermidade nauseante" e tentou se automedicar ao tomar ácido sulfúrico, o que, obviamente, o matou. Ele morreu em janeiro de 1789, e os únicos resultados notáveis de sua aventura na África foram algumas descrições bastante úteis de rotas de caravanas e cartas para Thomas Jefferson, em que se refere aos egípcios como idiotas, além de reclamar que o rio Nilo não era tão bom quanto o rio Connecticut.

E temos também Robert O'Hara Burke, um policial irlandês imponente e barbado, com um gênio dificílimo e nenhum senso de direção, que partiu em 1860 para explorar o centro da Austrália, traçando uma rota de Melbourne até a costa norte. Saindo de Melbourne sob os aplausos de uma multidão, seu grupo foi cruzando o país em um ritmo extremamente lento, em grande parte porque trazia consigo vinte toneladas de equipamento, que incluía itens vitais como: um conjunto imenso de mesa e cadeiras de carvalho com tampo de cedro, um gongo chinês e doze pentes para caspa.

Graças ao temperamento e à completa ausência de habilidades exploratórias de Burke, a taxa de abandono entre os membros da expedição era alta, com várias pessoas sendo demitidas ou indo embora por conta própria. Quando seu progresso absurdamente vagaroso fez com que ele caísse na real e abrisse mão de alguns suprimentos, os objetos deixados para trás foram boa parte das armas e da munição, além dos limões-sicilianos que ajudavam na prevenção de escorbuto. Com o tempo, cerca de três mil quilômetros depois, tendo perdido a maioria dos acompanhantes e ficando com apenas três homens e alguns camelos, Burke chegou, quase morto, a vinte metros da costa norte, deu meia-volta e foi embora, porque havia um mangue inundado no caminho. Ele morreu enquanto tentava retornar para Melbourne, pouco depois de cumprimentar um grupo de aborígenes — que acidentalmente encontraram os homens macilentos e lhes ofereceram comida e ajuda — com tiros de bala.

Até alguns exploradores coloniais tecnicamente bem-sucedidos eram, na verdade, bem incompetentes. Como René-Robert Cavelier, um francês que reivindicou boa parte da costa do golfo americano para a França, batizando o que se tornaria o estado da Louisiana. Descrito por um oficial francês como sendo "mais capaz do que qualquer outra pessoa que conheço", suas primeiras façanhas foram impelidas por sua crença de que conseguiria encontrar uma rota para a China através de Ohio. Ele também era bastante arrogante — uma péssima característica para um explorador —, com talento para irritar a maioria das pessoas com quem viajava. Sua última expedição, em 1687, foi uma tentativa de invadir o México e tomá-lo dos espanhóis com um exército de apenas duzentos homens. Depois de passar a viagem inteira batendo boca, perder vários navios e então atracar a oitocentos quilômetros de distância do local planejado, Cavelier acabou sendo morto por sua própria tropa em algum lugar do Texas.

Porém, talvez o melhor exemplo de autoilusão e arrogância dessa época seja a história da colônia que nunca existiu — a tentativa fracassada de uma nação de se tornar uma potência global, que só causou pobreza e humilhação. Este é o triste conto do Império Escocês.

O homem que quebrou a Escócia

William Paterson, como muitas pessoas que acabaram no lado "perdedor" da história, era um cara visionário.

Ele não só tinha um plano, mas também a habilidade e a tenacidade de convencer as pessoas a comprarem sua ideia. Paterson era banqueiro e financista por profissão, mas era seu espírito de vendedor que falava mais alto: um homem que parecia reunir o rigor de um atuário, a alma de um poeta e a flamejante convicção de um pastor, formando um combo irresistível. É uma pena que esse seu plano, em específico, tenha culminado na morte de milhares de pessoas e na ruína financeira da Escócia — e pior, tinha deixado o país à mercê de sua vizinha do sul. Na verdade, sem a ideia desastrosa de Paterson, talvez o Reino Unido não existisse como o conhecemos hoje.

Essa é a história de um país que se deixou levar por ambições grandiosas, porém vagas, com base nas proclamações de crentes ideológicos, ignorando os avisos dos especialistas e se recusando a reconhecer a realidade e mudar de rumo, mesmo quando o mundo estava mandando sinais claros de que aquilo era um erro. (Também é uma história dos ingleses sendo babacas, mas isso está mais do que claro.)

O plano de Paterson era nada mais, nada menos do que transformar a Escócia em um império que se tornaria o coração do comércio global. E ele sabia exatamente onde o primeiro posto desse império deveria se estabelecer:

em um paraíso verdejante do outro lado do Atlântico, localizado no fulcro das Américas. Esse lugar se chamava Dárien.

Entre 1698 e 1699, cerca de três mil colonos zarparam da Escócia, motivados pelo nacionalismo e por metade do dinheiro do país, animados com a perspectiva de encontrar o paraíso de Peterson e fundar o império. Antes de o século chegar ao fim, eles descobriram que o paraíso não era tão bom assim, a maioria morreu, e o dinheiro da nação poderia muito bem ter sido despejado nas águas do oceano.

Bem, sejamos justos com Paterson. Nem todos os seus planos foram desastrosos. Na verdade, um deles perdura até hoje — em 1691, ele propôs e cofundou, em 1964, o Banco da Inglaterra. (E, caso você esteja se perguntando: um ano depois de o Banco da Inglaterra ter sido fundado por um escocês, o Banco da Escócia foi fundado por um inglês.) Paterson previu, de muitas maneiras, a forma como o comércio globalizado moldaria o mundo em que vivemos hoje. Porém, seu otimismo ("o comércio é capaz de aumentar o próprio comércio", escreveu, "e o dinheiro, de produzir mais dinheiro até o fim do mundo") era tão grande quanto sua teimosia. Esse comportamento conseguiu irritar tanto os seus companheiros da diretoria do Banco da Inglaterra que ele foi forçado a abandoná-la menos de um ano após a fundação do estabelecimento.

Então, Paterson voltou para a ideia com a qual estava obcecado há anos: a colônia comercial em Dárien, na costa leste do istmo do Panamá, o pequeno trecho de terra que formava o ponto mais estreito do continente americano. Séculos antes da construção do famoso canal, já estava claro que o Panamá era o ponto mais fácil para fazer a travessia do Atlântico para o Pacífico. Não era exatamente *fácil*, já que atravessar o terreno não era nada simples — porém mais rápido e seguro do que a perigosa jornada marítima pela extremidade sul das Américas, dando a volta no cabo Horn ou atravessando o estreito de Magalhães. Ao conectar os dois oceanos, escreveu Paterson com tons melodramáticos, Dárien se tornaria a "porta dos mares, a chave do universo".

Isso tudo aconteceu durante o auge inicial da expansão colonial desenfreada da Europa, e a Escócia queria participar da brincadeira. Na década de 1690, os espanhóis e os portugueses já tinham passado dois séculos enchendo os bolsos com os recursos que extraíam de suas colônias americanas; mais recentemente, os ingleses e os holandeses também entraram na dança e foram bem-sucedidos. Agora, a disputa europeia por impérios globais envolvia a Ásia, a África e as Américas, já que a estratégia geral de "aparecer armado e roubar tudo que for possível" continuava a gerar riquezas inestimáveis, sem sinais de enfraquecimento.

A era dos impérios também foi a era da revolução financeira: portanto, boa parte das conquistas do colonialismo eram executadas não apenas pelos Estados em si, mas também por "sociedades anônimas" financiadas pelo governo e por ações públicas que misturavam mercantilismo e geopolítica. Elas incluíam gigantes como a Companhia Britânica das Índias Orientais e a Companhia Holandesa das Índias Orientais, e foi nesse modelo que Paterson tentou basear sua aventura em Dárien. Essas sociedades tinham alcance global, uma riqueza tremenda e um nível de poder que superava o de muitos Estados. De fato, elas geralmente agiam como se fossem uma nação paralela e tinham grande influência sobre o governo de seus próprios países. (Algo muito diferente do que acontece hoje.)

Além disso, a década de 1690 também foi uma época de incertezas para a Escócia. Os escoceses se sentiam inquietos desde que Jaime VI, o cara que comissionou a Bíblia e encheu o saco das bruxas, decidiu ir para o sul em 1603 e unir as coroas da Escócia, da Inglaterra e da Irlanda. Eles faziam parte da união, claro, mas ainda eram parte de um país politicamente independente: tinham o próprio parlamento, aprovavam as próprias leis e mantinham a própria moeda. No entanto, cresciam as suspeitas entre alguns segmentos da sociedade de que não estavam sendo beneficiados com aquela situação. Para eles (e com certa razão), a união da coroa era uma falcatrua que só servia aos interesses ingleses; a Escócia sempre seria a prima pobre, e as imposições de Londres sempre ficariam do lado do capital inglês, em detrimento do de Edimburgo.

Esses sentimentos só aumentaram ao passo que outras pessoas tomaram medidas para uma união ainda mais próxima com a Inglaterra. O clima pesado só piorou com o transtorno financeiro da década de 1690 — uma crise monetária inglesa, um rei que queria pagar por guerras estrangeiras e os "sete anos de desgraça" de recessão, com colheitas fracassadas e fome na Escócia, causando muitas mortes e empobrecimento. A crise, em vez de deixar os escoceses com medo de se arriscarem, se mostrou um terreno fértil para qualquer um que prometesse abalar o *status quo*. Então, quando o plano de Paterson de ir para Dárien surgiu, ele foi aceito com um fervor patriótico, visto como uma maneira de reestabelecer a independência da Escócia, se livrar das correntes da união e tomar controle do futuro do país.

Paterson não via sua ideia como uma questão de orgulho nacional — na verdade, ele tentara convencer outros países a financiar o plano antes de voltar à sua pátria. E, mesmo depois da determinação em 1695 de que aquela seria uma empreitada escocesa (com a criação da Companhia da Escócia para Comércio com a África e as Índias através de uma lei do parlamento escocês que lhe dava muitas concessões e um prazo ridiculamente generoso), ele ainda tentou conseguir patrocínio em Londres. Foi aí que tudo começou a dar errado — e foi quando os fundadores da Companhia ignoraram os primeiros sinais de problemas.

Porém, no começo, as coisas *não* deram errado; na verdade, deram muito certo. Certo *demais*, para falar a verdade. A reputação de Paterson em Londres e seu talento para vendas, junto com seu irrestrito entusiasmo por sociedades anônimas com ambições globais, fizeram com que a Companhia da Escócia não tivesse dificuldade alguma em encontrar patrocinadores, atraindo promessas de investimento que totalizavam cerca de trezentas mil libras esterlinas — um valor imenso. Infelizmente, todo mundo ficou tão interessado no projeto que ele acabou chamando atenção da Companhia das Índias Orientais.

Em resumo, o pessoal da Companhia das Índias Orientais não gostou da ideia de ter competição. Assim como boa parte da comunidade mercantil de Londres, eles tinham ficado apavorados com os problemas financeiros da década e sofreram perdas enormes naquele ano. Nessa época, a Companhia da Escócia ainda não determinara que seu alvo seria o Panamá nem mencionara em público a ideia de uma expedição americana (na esperança completamente inútil de manter segredo). Em vez disso, como o nome completo da sociedade insinuava, o plano anunciado era que ela se concentraria na África ou nas Índias Orientais. A resposta previsível da Companhia das Índias Orientais foi, em termos chulos, "nem fodendo".

E foi aí que a sociedade cujos poder e riquezas eram inextricavelmente associados ao sucesso do projeto imperial inglês colocou sua influência em ação. Essa foi a primeira lição da Companhia da Escócia sobre os imperativos políticos brutais do comércio global: só porque você diz "nós queremos participar do comércio internacional" e resolve fazer isso do seu jeito, não significa que o restante do mundo vai gostar da ideia.

O parlamento inglês ficou indignado com os termos da lei escocesa, que dera um tiro no pé ao conceder à Companhia o sonho do livre-comércio: isenção completa de tarifas e taxas aduaneiras e de importação por vinte e um anos. Os ministros ingleses queriam saber como isso afetaria as relações alfandegárias e comerciais entre a Inglaterra e a Escócia e como o parlamento escocês permitira que algo assim fosse aprovado. Sem uma fronteira física entre os dois países, eles alertaram que "tais commodities acabarão sendo trazidas da Escócia para a Inglaterra por meios furtivos, para grande detrimento da Alfândega de Sua Majestade".

O parlamento inglês realizou inquéritos, solicitou relatórios e ameaçou remover do poder qualquer pessoa envolvida com a Companhia. O rei Guilherme, ficando do lado da Inglaterra (o que não surpreendeu ninguém), deixou bem claro que estava puto da vida. E foi então que todas as promessas londrinas de investimento misteriosamente desapareceram.

A mesma coisa aconteceu quando a Companhia tentou angariar fundos no exterior, nas capitais comerciais de Amsterdã e Hamburgo. A Companhia Holandesa das Índias Orientais também não gostou nada daquela situação, e seus esforços — combinados com um diplomata inglês malicioso que fez uma campanha furtiva contra a iniciativa — garantiram que Paterson e os colegas tomassem um cafezinho com muita gente, recebessem várias perguntas sobre seus planos, mas acabassem com pouco dinheiro.

Porém, se os esforços ingleses para destruir o sonho escocês conseguiram evitar qualquer investimento externo, eles causaram o efeito oposto na Escócia. Motivados pelo verdadeiro sentimento de estarem sofrendo uma injustiça, o povo escocês abraçou a Companhia não só como uma oportunidade financeira, mas como uma expressão de sua identidade nacional. Paterson pode até não ter pensado no plano de Dárien como um exercício de patriotismo — ele só queria colocar suas teorias sobre comércio em prática —, mas, vendedor que era, soube tirar proveito da onda de apoio público e não perdeu tempo em adaptar seu experimento econômico à explosão de fervor patriota e ao ressentimento nacionalista.

A abertura do livro de assinaturas da Companhia em Edimburgo, no dia 26 de fevereiro de 1696, atraiu multidões, o que não acontecia com frequência no que era praticamente um evento de contabilidade. Os escoceses *jogaram* dinheiro na iniciativa. Na época, a Escócia não era um país rico, mas, mesmo durante os anos de desgraça, não era pobre, por assim dizer. Como boa parte da Europa, a nação tinha uma classe média burguesa, da qual saíram os investidores mais entusiasmados do plano — ao contrário de outras sociedades anônimas, como a Companhia das Índias Orientais, cujos investidores tendiam a ser aristocratas e mercadores ricos. De acordo com o historiador e escritor Douglas Watt, que examinou os registros da companhia para seu livro *The Price of Scotland* [O preço da Escócia, em tradução livre], os pequenos latifundiários não aristocratas foram os maiores patrocinadores. Mas não foram os únicos. Vários setores da sociedade escocesa colaboraram com a Companhia — de aristocratas poderosos a advogados, médicos, pastores de igreja, professores, alfaiates, soldados, relojoeiros, pelo menos um produtor de sabonete e até alguns criados abastados. O entusiasmo era contagiante. A cidade só falava sobre os boatos das riquezas das colônias; canções e poemas foram escritos para elogiar a Companhia e orações foram feitas por seu sucesso.

É difícil ser preciso, considerando os caprichos da história e o fato de que havia duas moedas correntes no país, mas Watt estima que entre um sexto e metade da *riqueza monetária total da Escócia na época* tenha ido parar nos cofres da Companhia. Se colocarmos nessa conta tudo que foi prometido (quando as pessoas só pagavam uma entrada como adiantamento), é possível que os fundos tenham excedido o valor total de moedas no país.

Isso, só para deixar claro, não é bom.

Paterson sabia incentivar surtos financeiros e usou isso em benefício próprio. De fato, sua visão sobre o assunto parece assustadoramente parecida com nossa compreensão moderna de "viralizar". Em uma carta de 1695, ele escreveu que "se uma ideia não gera animação quando apresentada pela primeira vez, quase nunca dá certo tentar angariar fundos com ela, já que a multidão geralmente se permite influenciar por exemplos, não pela razão". Um aspecto essencial pode ter sido o fato de o livro de assinaturas da Companhia ser propositalmente público, não privado, para que todos pudessem ver quem eram os investidores. E Paterson se focou em figuras públicas proeminentes ("influenciadores", se você preferir) para se tornarem os primeiros defensores do projeto, na esperança de que servissem como o exemplo que influenciaria as pessoas mais do que a razão. Como um site de vaquinha virtual, isso fez com que o ato de patrocinar a Companhia deixasse de ser uma escolha financeira pessoal e se tornasse uma declaração pública de apoio — chamando atenção para aqueles que *não* estavam ajudando o empreendimento.

É óbvio que isso levou a uma espiral autorreforçada de pressão social, criando um clima em que as vozes contrárias ou céticas eram agressivamente abafadas. Em 1696, John Holland (o inglês que fundou o Banco da Escócia) relembrou, triste, que tentou criticar o plano e foi acusado de ser um espião da Companhia das Índias Orientais. "Tamanho é o zelo da nação pelo Comércio Indiano e Africano", escreveu ele, "que agora sofro o preconceito de muitos; e como minhas críticas sobre o projeto são indiscutíveis, eles dizem que não podem acreditar naquilo que o Sr. Holland diz, porque ele é inglês... é perigoso expressar opiniões sobre esse assunto, e as pessoas vivem com medo de dizer o que pensam..."

A mistura de indignação com as ações dos ingleses, a onda de autoconfiança nacional, as promessas grandiosas e um plano convincente, o truque de transformar apoio em um ato performático e a boa e velha vontade de ganhar dinheiro fácil criaram o ambiente mais fértil possível para um surto desenfreado. Assim, em 14 de julho de 1698, enquanto a alegre multidão acenava e se despedia, cinco barcos zarparam de Leith, levando a bordo William Paterson e mais mil e duzentas almas esperançosas, indo para a América Central, onde Paterson jamais estivera.

Ah, eu não mencionei esse detalhe? WILLIAM PATERSON NUNCA ESTEVE EM DÁRIEN.

O porquê de nosso amigo ter se tornado tão obcecado pelo lugar é um mistério até hoje. Ele passou bastante tempo no Caribe como mercador, mas não existe qualquer prova em sua biografia ou em seus escritos públicos de que ele tenha chegado perto do istmo panamenho. Em vez disso, Paterson parece ter ouvido histórias sobre o local, provavelmente de piratas. (Essa história se passa durante a Era Dourada da Pirataria, quando Piratas do Caribe de verdade, não aqueles criados por efeitos especiais, faziam seus negócios como malfeitores ou com o apoio não declarado de governos que queriam incomodar seus rivais coloniais.)

Também não está claro como Paterson foi tão bem-sucedido em convencer seus companheiros diretores da Companhia da Escócia a apoiar sua visão, baseada apenas em boatos, de que Dárien era o centro do império global da Escócia. Com certeza eles tiveram muitas oportunidades de mudar de rumo — em 1697, um ano antes de a frota zarpar, a Companhia quase abandonou completamente o plano e focou objetivos mais modestos.

A diretoria sabia que a Companhia, cheia de dinheiro após angariar fundos em Edimburgo, tinha gastado demais e não conseguiria bancar suas ambições por completo. (Por tolice, os diretores decidiram comprar os navios mais modernos da Europa, em uma época em que a maioria dos seus rivais alugava a frota. Talvez tenha sido uma tentativa de parecer mais imponente para os investidores holandeses e germânicos — tipo uma startup sem nenhuma renda, mas com escritórios bonitos na parte mais cara da cidade.) Vários especialistas renomados expressaram suas dúvidas sobre a viabilidade da expedição, insistindo que os fundos angariados fossem gastos em missões comerciais menos imperialistas na Ásia. Os diretores estavam completamente cientes das ciladas em que poderiam cair ao escolher Dárien como destino e até discutiram outros locais mais adequados nas Américas... porém, ainda assim, esse grupo de indivíduos sérios, instruídos e extremamente respeitáveis se convenceu de que tinha razão o tempo todo e seguiu com o plano.

As ciladas começaram a aparecer pouco depois da chegada dos colonos, no início de novembro de 1698. Muitos deles nem sabiam que Dárien era seu destino final: como parte das tentativas inúteis da Companhia de esconder seus planos dos rivais, eles só receberam as ordens depois que os navios zarparam.

No começo, estava tudo ótimo. Os colonos ficaram deslumbrados com a beleza natural do lugar e com as espécies estranhas (para eles), as tartarugas, as preguiças e os tamanduás gigantes. O povo Guba parecia amigável e mencionava minas de ouro a alguns quilômetros de distância. Os escoceses encontraram um "excelentíssimo porto" e uma baía coberta por vegetação com três quilômetros de extensão. Um desses homens, Hugh Rose, acreditava que a baía era "capaz de abrigar mil dos melhores navios do mundo". Outro escritor anônimo registrou que "o solo é rico, o ar é puro e fresco, e tudo é saudável e conveniente".

"Saudável" pode ter sido exagero. Não demorou muito para alguns dos colonos ficarem doentes e morrerem. A esposa de William Paterson foi uma das primeiras a falecer, menos de duas semanas depois da chegada. Poucos dias depois, o último pastor religioso da colônia também sucumbiu.

Porém, apesar das tragédias, os colonos permaneceram confiantes. Eles batizaram a baía de Caledônia, em homenagem ao antigo nome da Escócia, e imediatamente começaram a construir sua primeira cidade: Nova Edimburgo. A felicidade com as descobertas era tanta que eles enviaram o contador-chefe da expedição, Alexander Hamilton (não aquele do musical), de volta para a Escócia em um navio pirata que passava pela região, para contar as boas notícias ao povo.

Um sinal bem claro de que, na verdade, as coisas iam de mal a pior foi quando o navio de Hamilton afundou pouco depois de sair do porto.

Então ficou claro por que um porto natural tão grande não era usado por outra potência colonial. Assim como o Hotel Califórnia, entrar nele era moleza, mas sair era outra história. Os ventos constantes sopravam de tal forma que, ao sair da baía, os navios eram imediatamente jogados para trás e atacados por ondas gigantes. O navio que levava Hamilton foi despedaçado em meia hora, afogando metade da tripulação. (O próprio Hamilton sobreviveu e acabaria voltando para a Escócia para dar notícias sobre a expedição.) A Companhia foi avisada, por marinheiros experientes, que seus grandes e caros navios de quilhas rasas eram completamente inadequados para as condições do Caribe, mas o conselho foi ignorado. Seria de se imaginar que uma colônia comercial se preocuparia com a possibilidade de seus navios passarem meses presos no porto, mas não foi isso que aconteceu.

Também é difícil entender como eles pretendiam realizar tal comércio. Segundo a pesquisa de Douglas Watt, os escoceses gastaram uma quantidade ínfima de dinheiro em bens que poderiam trocar com os nativos — em geral, grandes pedaços de tecido, mas também incluíam mais de duzentas perucas, um estoque razoável de sapatos elegantes e um grande número de pentes. (É provável que este último tenha sido acrescentado pela crença de que nativos do mundo inteiro ficavam loucos diante da visão de um pente, imediatamente aceitando-o em troca de suas terras. No fim das contas, o povo Guba estava se lixando para pentear o cabelo.) Por outro lado, se o objetivo da missão era apenas estabelecer um assentamento, talvez tivesse sido melhor levar menos perucas e mais ferramentas.

Conforme a construção de Nova Edimburgo teve início, a empolgação dos colonos rapidamente diminuiu. O trabalho era exaustivo, executado sob um calor bem diferente do escocês. Depois de dois meses abrindo espaço em uma selva fechada que parecia não acabar nunca, os líderes do projeto resolveram que estavam construindo no lugar errado ("um mero lamaçal", como descreveu Paterson). As pessoas ficaram ainda mais desanimadas. Aí as chuvas começaram — e a chuva no Panamá não é igual à chuva da Escócia. O escritor Rose logo mudou sua opinião positiva sobre o lugar, agora registrando: "Há mangues e pântanos em terra firme e ao redor da baía, o que é muito desagradável."

Na verdade, os pântanos eram mais do que desagradáveis. A doença que já levara a esposa de Paterson voltou a matar os colonos. Não sabemos ao certo o que era, já que os registros citam apenas "a febre", mas é provável que tenha sido malária ou febre amarela, graças aos mosquitos nos pântanos próximos. (Ambas as doenças eram, claro, dos colonos, já que foram trazidas do Velho Mundo pelos europeus.) Os escoceses começaram a morrer em um ritmo alarmante.

Aqueles que não ficaram doentes estavam destruindo sua saúde de outras formas, graças à decisão da Companhia da Escócia de levar um suprimento bem grande de bebidas — uma das maiores vantagens da viagem. Os habitantes da Caledônia começaram a afogar as mágoas no rum e no conhaque, coisa que não ajudou na construção de Nova Edimburgo. Depois de um tempo, os líderes resolveram desistir da cidade e se concentrar na criação de um forte, já que temiam cada vez mais um ataque dos espanhóis.

Ah, sim. Os espanhóis. Pois é, ainda não mencionei o maior e mais óbvio problema do plano de Paterson: os espanhóis tinham certeza de que já eram donos de Dárien.

Eles acreditavam nisso por causa de alguns pequenos detalhes. Tipo o fato de que fazia quase dois séculos que exploravam o istmo panamenho. E de que aquela rota era fundamental para enviar o ouro e a prata que roubavam da América do Sul para a Espanha. E de que Dárien estava no meio de três das suas maiores cidades. Na verdade, eles já tinham ocupado a região no passado, mas a abandonaram por conta de todos os problemas que os escoceses estavam descobrindo. Achar que a Espanha permitiria que um país sanguessuga simplesmente aparecesse e começasse uma colônia no meio do seu território era uma ideia ridícula.

Por que a Companhia da Escócia achou que os espanhóis deixariam isso para lá? Não dá para entender. Mas nós temos uma vaga noção do que se passava na cabeça deles. Impulsionados pelos românticos contos piratas sobre ataques bem-sucedidos contra propriedades espanholas, os escoceses pareciam acreditar que a Espanha se tornara um tigre de papel, uma potência imperial enfraquecida, longe do seu auge. Apesar de a marinha espanhola ser maior que a escocesa (afinal, era uma marinha contra zero), talvez eles achassem que, se conseguissem repelir os ataques iniciais, comprovariam que seu oponente não tinha a força necessária para tirá-los de lá.

E... não foi bem assim que as coisas aconteceram. Para começo de conversa, a Espanha não atacou diretamente. Se as tentativas inglesas de frustrar as ambições escocesas foram prejudiciais antes, elas não foram nada se comparadas ao que acontecia agora. Os espanhóis foram rápidos e diplomáticos ao alertar o rei Guilherme de que a aventura dos escoceses era capaz de causar guerras. Recém-saído de um dos habituais confrontos ingleses contra a França, Guilherme não queria arrumar confusão com a Espanha, então rapidamente ordenou que nenhum território ou navio inglês fornecesse suprimentos, ajudasse ou até se correspondesse com os escoceses.

Quando essa notícia chegou à Caledônia, os colonos se desesperaram. Apesar de enviarem apelos regulares para a Escócia, eles não recebiam notícias de casa ou novos suprimentos desde que chegaram lá — e agora estavam completamente isolados, sem qualquer esperança de encontrar aliados na região.

Antes mesmo do embargo inglês, os colonos já tinham vencido um pequeno ataque espanhol, sobre o qual foram avisados com antecedência pelo capitão de um navio inglês enviado para espionar suas atividades. (A parte mais humilhante era que eles haviam chegado à região antes dos escoceses, já que as tentativas da Companhia de manter segredo foram completamente inúteis.) Essa pequena vitória melhorou os ânimos por um tempo, mas, depois da captura de um de seus navios pelos espanhóis enquanto buscavam pessoas com quem negociar, tudo foi por água abaixo; a tripulação foi presa, e a carga, confiscada.

Agora, com metade da população da Caledônia morta, morrendo ou presa, e a outra metade exausta, faminta ou de ressaca, as notícias de que estavam isolados foi a gota d'água. Acreditando terem sido completamente abandonados, os colonos concordaram em desistir de Dárien e fazer sua triste jornada de volta para casa.

Assim, apenas nove meses depois de William Paterson finalmente ter chegado ao lugar com o qual sonhara por tantos anos, ele foi carregado, viúvo e agora também doente, para o navio que o levaria embora. Paterson sobreviveu à febre, porém nunca mais veria Dárien.

Ainda doentes, a jornada dos colonos de volta para casa, passando pela Jamaica e por Nova York, foi tão terrível quanto o tempo que passaram no istmo panamenho. Eles levaram quase uma semana só para sair do porto, e centenas de pessoas morreram pelo caminho. Um navio afundou e outro quase foi destruído. No fim das contas, apenas uma embarcação conseguiu retornar à Escócia. Mas, infelizmente, ela não chegou a tempo de prevenir que uma segunda frota partisse para Dárien em busca de respostas sobre o que acontecera com a primeira expedição.

Isso mesmo, a Companhia da Escócia só mandou reforços quando já era tarde demais.

Essa segunda frota chegou ao seu destino no fim de novembro de 1699, encontrando um "descampado enorme": os restos abandonados e queimados de Nova Edimburgo, um forte coberto de vegetação e um número enorme de covas rasas. Indo contra qualquer lógica, os recém-chegados resolveram ficar, reconstruir as estruturas e tentar manter a posse da terra enquanto avisavam que precisariam de mais suprimentos. Os únicos resultados disso foram mais pessoas adoecendo e morrendo e a oportunidade de a Espanha mostrar que não era uma potência decadente. Nos primeiros meses do novo século, os espanhóis chegaram em peso para mostrar quem é que mandava ali. Arrasados pela febre, os escoceses conseguiram resistir por um tempo, mas, em abril, foram forçados a se renderem. O Império Escocês chegara ao fim.

Talvez sabendo como era uma boa propaganda deixar um inimigo derrotado fugir com o rabo entre as pernas, ou quem sabe apenas sentindo pena dos coitados, os espanhóis deixaram os colonos partirem. Mais uma vez, centenas de pessoas morreram de febre no caminho de volta. Uma tempestade violenta destruiu outros dois navios, aniquilando mais centenas de almas — incluindo o extremamente azarado Alexander Hamilton, que, chegando à Escócia depois de seu primeiro naufrágio, resolvera retornar para Dárien com a segunda frota.

No total, cerca de três mil pessoas saíram da Escócia rumo ao istmo panamenho. Acredita-se que entre mil e quinhentas e duas mil tenham morrido na baía da Caledônia ou no mar. Muitos dos sobreviventes nunca retornaram para sua terra natal.

De volta a Edimburgo, em 1700, o fracasso do plano deixou todos chocados enquanto a notícia se espalhava. Em um ambiente recentemente polarizado, a questão se tornou uma batata quente política, e as reações se dividiam entre culpar os diretores da Companhia por seu vergonhoso fracasso ou condenar os malditos ingleses por sua interferência. Em Edimburgo, protestos foram organizados em defesa da Companhia. Um colono irritado, cujos panfletos falavam mal dos diretores, foi acusado de blasfêmia; três defensores da Companhia que criaram gravuras depreciativas sobre o governo foram julgados por traição, sem sucesso. Os fatos não importavam mais — as pessoas só queriam saber de que lado você estava.

As consequências não foram apenas políticas, mas também financeiras: no meio da crise econômica, uma boa parte das riquezas totais do país fora jogada fora. Os investidores individuais perderam muito dinheiro sem qualquer esperança de recuperá-lo. A Escócia fora humilhada e enfraquecida.

É claro, nenhuma grande mudança política ocorre por apenas um motivo. As forças que impulsionavam a Escócia para uma união total com a Inglaterra eram complexas e não passaram a existir só pelos planos imprudentes de Paterson. Afinal, era o fim do século XVII, e as fronteiras e alianças pareciam mudar a cada semana. Mas Dárien com certeza colaborou com a situação — especialmente quando, como parte do acordo de união alguns anos depois, a Inglaterra ofereceu um resgate financeiro à Escócia. Não só para o país, mas para os investidores individuais da Companhia, que receberiam seu dinheiro de volta com generosos juros.

Muitos chamaram isso de suborno. "Fomos vendidos em troca de ouro inglês", como escreveria Burns oito décadas depois. Alguns interpretaram a situação como um plano obscuro dos ingleses para incapacitar a Escócia até minar todas as suas opções. Outros só queriam seu dinheiro de volta.

Paterson defendeu a união.

Em maio de 1707, o Reino Unido foi criado. Em agosto, uma dúzia de carroças fortemente protegidas chegou a Edimburgo carregando quase quatrocentas mil libras esterlinas.

O problema com isso tudo é o seguinte: Paterson não estava completamente errado. O Panamá era realmente um ótimo lugar para formar uma colônia — de fato, o arqueólogo Mark Horton analisou o istmo em 2007 e concluiu que as rotas comerciais propostas por Paterson, saindo de Dárien, eram realistas. E sua precisão sobre o desenvolvimento do comércio global também não parece tão absurda hoje em dia; e mais: ele explicitamente promovia sua ideia como uma alternativa não violenta às atrocidades do império, escrevendo que o comércio traria riquezas sem "causar tanta culpa e sangue como Alexandre e César". O que, francamente, para aquela época, o torna quase desconstruído. (Mas não vamos exagerar: as conversas entusiasmadas sobre as minas de ouro inexploradas de Dárien indicam que muitos dos financiadores do plano só queriam explorar os recursos naturais.)

O que estragou mesmo a iniciativa foi a incapacidade dos envolvidos de lidar com questões complicadas. Eles negligenciaram detalhes como quais navios precisavam e quais suprimentos deveriam levar; ignoraram completamente a conjuntura da época, como as consequências geopolíticas de suas ações. Em vez disso, quando problemas ou ciladas apareciam, eles acabavam acreditando na própria fama e se convencendo ainda mais de que estavam certos. Foi um clássico caso de pensamento de grupo.

Até hoje, a história de Dárien divide a Escócia. Durante o referendo de 2014 sobre a independência, ela se tornou uma metáfora para os dois lados. Para os nacionalistas, era uma parábola sobre como a Inglaterra sempre tentou sabotar e oprimir as esperanças escocesas; para os defensores da união, era uma lição sobre os perigos de trocar estabilidade por ambições irreais.

Enquanto conto, é uma boa metáfora. É a história de um país que se virou contra uma união política com seus parceiros comerciais mais próximos em prol de um plano fantasioso para obter influência global irrestrita, promovido por fanáticos do livre-comércio com sonhos de formar um império, que usaram o patriotismo exagerado para vender seus planos vagos, ao mesmo tempo em que ignoravam alertas de especialistas sobre a realidade da situação.

Infelizmente, não consigo pensar sobre o que seria essa metáfora agora.

MAIS CINCO EXPLORADORES QUE NÃO SOUBERAM EXPLORAR

Louis-Antoine de Bougainville

Um explorador que, enquanto se tornava o primeiro francês a dar a volta ao mundo, chegou à Grande Barreira de Coral e deu meia-volta, indo embora sem descobrir a Austrália.

John Evans

Na década de 1790, John Evans, um explorador galês que passou cinco anos buscando por uma tribo galesa perdida nas Américas, foi preso pelos espanhóis por espionagem antes de finalmente encontrar a tribo — os mandan — e descobriu que não tinha nenhum galês ali.

Vilhjalmur Stefansson

Um explorador canadense que acreditava que o Ártico era, na verdade, um lugar muito ameno, guiou, em 1913, uma expedição para lá. Quando seu navio encalhou no gelo, ele disse aos seus homens que lideraria um grupo pequeno em busca de comida, indo embora e abandonando todo mundo.

Lewis Lasseter

Em 1930, Lasseter guiou um grupo de busca pelo deserto central australiano com o objetivo de encontrar um vasto "coral" feito de ouro puro, que ele alegava ter descoberto anos antes. Era mentira. Depois de um tempo, ele foi abandonado pelo grupo, perdeu seus camelos, enquanto fazia suas necessidades, e acabou morrendo.

S.A. Andrée

Engenheiro e aventureiro suíço, Salomon Andrée teve a brilhante ideia de alcançar o Polo Norte em um balão de hidrogênio — e partiu em sua jornada, apesar do fato de o balão estar vazando gás. Ele e sua equipe morreram no meio do Ártico.

8

O guia da diplomacia para idiotas e/ ou para o atual presidente americano

Conforme as viagens mundiais se estabeleciam na Era dos Descobrimentos, surgiam mais oportunidades de começar, acidentalmente, vários tipos de guerra, uma vez que a quantidade de países que poderiam se irritar uns com os outros aumentou exponencialmente. Partindo do princípio de que, às vezes, a gente quer evitar conflitos, então o melhor caminho a seguir (além de tomar as mesmas atitudes misteriosas da civilização harapeana) é o da diplomacia. Diplomacia é a arte de não sermos babacas uns com os outros — ou, no mínimo, concordar que sim, todo mundo é babaca às vezes, mas vamos tentar nos controlar um pouco.

A gente também não tem talento para isso, infelizmente.

O principal problema das relações internacionais vem de uma adversidade mais geral e fundamental das interações humanas, que envolve dois princípios básicos:

1) Nós devemos confiar nas pessoas.
2) Mas nem tanto!

Esse é o dilema que assombra quase todos os momentos em que culturas diferentes entram em contato. Para quem está passando por essa situação, infelizmente é impossível saber qual opção é a certa. Ainda não conseguimos resolver essa questão, mas pelo menos podemos nos dar ao luxo de olhar para trás, analisar as decisões de outras pessoas e dizer: "Não, péssima escolha."

Os taínos se viram nessa situação quando Colombo apareceu — durante os primeiros encontros, os nativos foram legais e impressionaram o europeu com sua simpatia e generosidade. É óbvio que Colombo teve a mesma reação que qualquer um teria ao se deparar com pessoas amigáveis e generosas: "Eles dariam ótimos criados", pensou. "Com cinquenta homens, podemos dominar todo mundo e obrigá-los a nos obedecer", concluiu depois de alguns dias de reflexão. Que cara maneiro.

A mesma coisa aconteceu algumas décadas depois, em uma escala maior, quando o líder asteca Moctezuma tomou uma decisão muito, muito ruim sobre as intenções de Hernán Cortés.

Os astecas (ou Mexicas, como se denominavam) comandavam um grande império, que se estendia de uma costa à outra do que agora é a região central do México. Moctezuma governava tudo a partir de Tenochtitlán, a maior e mais avançada cidade-Estado do continente (onde agora é a Cidade do México). Tudo ia às mil maravilhas até 1519, quando Cortés atracou na costa de Iucatã.

Cortés não era apenas um conquistador, mas um conquistador renegado — ele fora removido do comando da missão exploratória pelo governador espanhol de Cuba, que duvidava do seu caráter. Mas Cortés simplesmente pegou os navios, a tripulação e foi mesmo assim. Pouco tempo depois de chegar, ele afundou os navios de propósito para impedir que seus homens fizessem um motim e voltassem para Cuba. O que quero dizer é que Hernán Cortés não trabalhava bem em equipe. E, naquele momento, fugindo dos seus próprios compatriotas e sem meios de voltar para casa, sua única opção era "conquistar coisas".

Quando Moctezuma foi informado, a uns trezentos quilômetros de Tenochtitlán, da chegada de Cortés, ele ficou nervoso, e com razão. Mas, lamentavelmente, ele não conseguiu decidir o que fazer. O imperador alternava entre mandar presentes extravagantes aos invasores e avisos para ficarem bem longe. Enquanto isso, Cortés tentava descobrir os pontos fracos dos Mexicas. O principal problema era o seguinte: eles eram um império também e com frequência agiam com brutalidade. Assim, havia muitos grupos nativos no México que não gostavam de Moctezuma, e conforme Cortés avançava para o interior do território, ele usava uma mistura de lábia, trapaça e ocasionais massacres para convencer esse pessoal a se juntar aos espanhóis contra Tenochtitlán.

Moctezuma já deveria ter notado que os dois não seriam melhores amigos, mas o imperador continuou esperando. É possível que sua incerteza tenha aumentado com o suposto boato de que Cortés era a reencarnação de Quetzalcóatl, o deus do céu — apesar de as únicas provas de que alguém acreditava nisso aparecerem nas cartas de Cortés, que vivia tocando no assunto e, para falar a verdade, esse é bem o tipo de baboseira que ele inventaria.

Quando o conquistador finalmente chegou a Tenochtitlán, acompanhado de algumas centenas de soldados espanhóis e vários novos aliados, Moctezuma tomou uma decisão, apesar de muitos dos seus conselheiros lhe alertarem de que aquela era uma péssima ideia. Para ser sincero, é difícil determinar se havia uma escolha *certa* ali, mas aquela definitivamente não foi a ideal: o imperador recebeu os espanhóis na cidade como convidados de honra. Eles ganharam inúmeros presentes, receberam os melhores quartos, tudo do bom e do melhor. Não deu certo. Em poucas semanas, Cortés armou um golpe de Estado, fez Moctezuma de refém em sua própria corte e o forçou a governar sob suas ordens. A primeira exigência dos espanhóis foi um jantar; depois disso, exigiram saber onde o ouro estava guardado.

Tudo foi pelos ares nos primeiros meses de 1520, quando, ironicamente, Cortés estava longe, lutando contra um grande regimento de tropas espanholas enviadas pelo governador de Cuba para tentar impedir o que quer que ele estivesse aprontando. Por algum motivo, um dos tenentes de Cortés, que ficara encarregado de manter a ordem em Tenochtitlán, resolveu assassinar um monte de nobres Mexicas no Grande Templo durante a comemoração de um festival religioso. O povo, indignado com o massacre, se rebelou, e Cortés encontrou uma insurreição ao voltar. Ele ordenou que Moctezuma mandasse as pessoas se acalmarem. Ninguém obedeceu, e esse foi o fim do imperador. Relatos espanhóis contam que ele foi apedrejado até a morte por uma multidão de súditos raivosos; é mais provável que ele tenha sido assassinado pelos conquistadores quando ficou comprovado que não serviria para mais nada. Depois de quase um ano de batalhas sangrentas, os espanhóis conseguiram dominar completamente os Mexicas, e Cortés — que voltou, de repente, às graças dos seus chefes — se tornou governador do México.

Talvez a invasão espanhola fosse inevitável, mas a decisão de Moctezuma de receber os invasores como convidados deve ter sido uma das piores políticas de relações internacionais de todos os tempos. E, para ser sincero, se o governo mexicano tivesse se lembrado desse exemplo trezentos anos depois, quando incentivou a imigração dos americanos para o Texas, a principal lição do destino infeliz de Moctezuma — "pelo amor de Deus, México, pare de convidar as pessoas para os lugares" — poderia ter mudado o curso dos acontecimentos.

Felizmente para a reputação do imperador asteca, ele não foi o único a entrar nos anais da história por suas péssimas decisões diplomáticas.

A importância de escolher bem seus amigos pode ser observada no exemplo do governador romano da Germânia, Públio Quintílio Varo, em 9 EC. Varo tomou a medida clássica das invasões: escolheu nobres locais para lhe apoiarem, mantendo os camponeses relativamente calmos. Infelizmente, o governador depositou sua confiança em um líder tribal germânico chamado Armínio, baseando-se no fato de que ele se tornara cidadão romano e que até já comandara uma unidade auxiliar no exército de Roma. Apesar de ter sido avisado de que seu confiável conselheiro talvez não fosse tão legal assim, o governador escolheu acreditar em Armínio quando ele disse que precisavam lidar com uma revolta das tribos germânicas. O conselheiro guiou Varo e suas tropas para uma emboscada que ele mesmo comandou, depois de usar o velho truque do "vou na frente rapidinho só pra ver como as coisas estão". Três tropas inteiras foram aniquiladas (a pior derrota militar de sua história), e a expansão do Império Romano rumo ao Norte foi interrompida.

Para ressaltarmos a importância de confiar nos outros, temos a autodestrutiva política externa chinesa da dinastia Ming, que se tornou estudo de caso sobre os perigos do isolacionismo. Nas primeiras três décadas do século XV, a China tinha uma das maiores frotas navais da história mundial, sob o comando do lendário marinheiro Zheng He. Composta por trezentos navios, incluindo nove embarcações gigantescas com nove mastros cada, maiores do que qualquer uma que apareceria nos séculos seguintes, a frota conseguia carregar até trinta mil homens, incluindo também barcos que serviam de fazendas flutuantes, cultivando alimentos e abrigando rebanhos de animais.

Além disso, durante esse período, os chineses eram conhecidos por não usarem sua frota para fazer coisas como, sei lá, invadir outros lugares. Eles com certeza passavam muito tempo lutando contra piratas, e os navios eram uma ótima forma de ameaçar de leve qualquer país que cogitasse sair da linha — mas, de todas as sete viagens de Zheng He para a Ásia, Arábia e África Ocidental, ele só se envolveu em uma guerra pequena. As embarcações passavam boa parte do tempo visitando portos distantes como os de Malaca, Mascate e Mogadíscio e... bem, trocando presentes. Os chineses distribuíam metais preciosos e panos sofisticados e recebiam muitas coisas em troca, incluindo vários animais. Uma vez, eles trouxeram uma girafa do Quênia.

No quesito exibições de força impressionantes de potências imperiais, tudo isso parecia bem legal comparado com as outras alternativas. Então, foi surpreendente quando, depois da morte de Zheng He, em 1433, a dinastia Ming só... parou. Eles abandonaram sua marinha. Em uma reação exagerada e bem extrema à contínua operação de piratas japoneses, o governo decidiu ressuscitar a velha política do *haijin* — o banimento quase total de qualquer frete marítimo. Com a distração das batalhas contra os mongóis, no Norte, missões diplomáticas no exterior pareciam um gasto desnecessário, e o dinheiro seria mais bem aplicado em um projeto diferente: a construção de um muro bem grande na fronteira.

Nos anos seguintes, a China se voltou cada vez mais para dentro, isolando-se do mundo. O fato de isso ter acontecido bem na época em que as marinhas da Europa começavam a explorar os continentes teve um efeito duplo: significou que, quando os europeus chegaram aos mares asiáticos algumas décadas depois, não havia uma grande força local para interferir. Também significou que a China perdeu a oportunidade de participar da aceleração científica e tecnológica da época. Levaria muito tempo até o país retomar seu status de potência mundial.

Isso mostra de que forma as escolhas diplomáticas são, até certo ponto, uma tentativa de prever como o equilíbrio de poder pode mudar no futuro. Considerando que é impossível fazer isso com precisão, não é de surpreender que as pessoas vivam cometendo burradas. Na Suíça, no final da primavera de 1917, bem no meio da Primeira Guerra Mundial, um homem de meia-

-idade com uma barba esquisita fez uma proposta ao governo alemão. Ele era russo precisava desesperadamente voltar para o seu país, que passava por uma revolta política — mas a guerra tornava impossível viajar pela Europa. A melhor rota para a Rússia seria ir para o Norte e atravessar a Alemanha, mas o homem precisava da permissão dos alemães para isso. E o governo de lá não gostava muito de suas ideias políticas.

A proposta era simples. Apesar de suas diferenças, ele e os alemães tinham, naquela época, um inimigo em comum: o governo russo, que o homem detestava e queria depor. O alto comando alemão lutava em vários fronts e chegou à conclusão de que qualquer distração que pudesse tirar as forças russas da batalha seria útil. Então eles fizeram um acordo. Colocaram o homem, sua esposa e mais trinta dos seus compatriotas em um trem rumo ao porto do Norte, de onde seguiriam viagem através da Suécia e da Finlândia. Não era a melhor linha de frente, mas já serviria de alguma coisa. As autoridades alemãs até lhes deram um pouco de dinheiro, e continuariam a ajudá-los financeiramente pelos próximos meses. Provavelmente acharam que, como a maioria dos revolucionários políticos com causas excêntricas, o homem faria estardalhaço, mudaria o foco dos russos por um tempo e depois cairia na obscuridade.

Bom, enfim, esse homem era Lênin.

Veja bem, o plano alemão funcionou, de muitas formas, com perfeição. Na verdade, foi melhor do que o esperado! Os bolcheviques não só irritaram e distraíram as autoridades russas, como também acabaram com elas. Em pouco mais de seis meses, o governo provisório da Rússia era coisa do passado, Lênin estava no poder e o Estado soviético foi estabelecido. Os alemães conseguiram um cessar-fogo que seria inimaginável quando se despediram do trem que partia com os russos, em abril.

A longo prazo, no entanto, o plano não foi exatamente um sucesso estrondoso.

Para começo de conversa, o cessar-fogo na Frente Oriental não ajudou a Alemanha a vencer a guerra. E, depois, o relacionamento entre o novo Estado comunista e seus prestativos colegas alemães logo azedou. Se avançarmos algumas décadas, a recém-dividida Alemanha ficaria sob o controle soviético depois de outra guerra mundial.

Os alemães caíram naquela velha armadilha de acreditar que o inimigo do seu inimigo seria seu amigo. O que nem sempre está errado — mas uma amizade assim tende a durar pouco. E a ilusão desse ditado popular está por trás de uma quantidade surpreendente das piores decisões do mundo, além de explicar vários séculos de uma confusa história europeia.

Outro nome para esse fenômeno seria "política externa americana do pós-guerra". Durante o longo período de péssimas decisões globais que ficou conhecido como Guerra Fria, os Estados Unidos se aliavam com todo mundo que se adequasse ao critério rígido de "não ser comunista". Muitos desses aliados eram apenas babacas (como, por exemplo: diversos ditadores na América Latina, a sucessão de terríveis governantes no Vietnã). Mas, fora isso, havia outro problema: essa galera tinha o hábito de revelar que nunca gostara tanto assim dos americanos, no final das contas.

Considere que, só nas últimas décadas, os Estados Unidos se envolveram em um conflito armado contra a al-Qaeda, que surgiu dos mujahidin do Afeganistão — um grupo que os americanos patrocinaram sob a alegação de que ele ajudava na luta contra os soviéticos. (Recomendo muito que você assista a *007 — Marcado para a morte*, de 1987, caso sinta vontade de gritar um "EITA, ISSO NÃO ENVELHECEU BEM" para sua televisão. Bond se alia aos mujahidin, que são liderados por um personagem charmoso e heroico que eu descreveria como um "bin Laden amável com um sofisticado sotaque britânico". Mas a música-tema é ótima.)

Nessa época, os Estados Unidos também se envolveram em um conflito armado contra o Iraque, país que ajudaram financeiramente por estar lutando contra o Irã, que era contra os americanos porque os Estados Unidos apoiaram a ditadura iraniana anterior, que também era contra os soviéticos.

E o país também estava em confronto com o Estado Islâmico, que foi criado a partir das atividades da al-Qaeda no Iraque pós-guerra e agora luta na Síria em um conflito que tem *no mínimo* três lados, no qual os americanos combatem um regime que antes apoiavam, depois de uma tentativa frustrada de apoiar seus inimigos, mas os inimigos do regime inimigo também são amigos do Estado Islâmico, que é inimigo tanto dos Estados Unidos quanto dos inimigos dos Estados Unidos, apesar de alguns outros amigos serem inimigos dos dois — ah, e a Rússia também está participando da guerra, pelos velhos tempos.

E estamos falando apenas de uma parte do mundo.

Veja bem, política internacional é um negócio complicado. Não existe muito espaço para um idealismo grandioso, e as mãos frias do pragmatismo fazem com que, de vez em quando, você tenha que se contentar com os aliados que consegue, em vez dos aliados que realmente quer. Mas muitos dos nossos problemas poderiam ser evitados se nos lembrássemos de que, no geral, o inimigo do nosso inimigo é tão ruim quanto o inimigo original.

Porém, na longa história de erros diplomáticos, existe um que se destaca dentre todos.

Como perder um império (sem querer)

Em 1217, Ala ad-Din Mohamed II, o xá do vasto e poderoso Império Corásmio, recebeu uma mensagem amigável do líder de uma nova potência que crescia no leste. "Eu sou o senhor das terras do sol nascente", dizia, "enquanto você governa as do sol poente. Vamos firmar um tratado de amizade e paz permanente". Havia também uma proposta de comércio entre as potências, visando ao benefício de ambas.

E foi nesse ponto que o xá Mohamed II tomou a pior decisão na longa história da diplomacia internacional.

Naquela época, o Império Corásmio era um dos mais importantes do mundo, indo quase do mar Negro, no oeste, até as montanhas do Indocuche, ao leste; do golfo Pérsico, ao sul, até as estepes cazaques, ao norte. Ele ocupava uma área imensa, que hoje inclui o território completo ou boa parte do Irã, Uzbequistão, Turcomenistão, Tajiquistão, Azerbaijão, Afeganistão e mais. Em uma época em que a Europa ainda estava a um ou dois séculos do Renascimento, a Corásmia era o epicentro do mundo desenvolvido. Era por lá que passava a Rota da Seda, o grande caminho que conectava o leste e o oeste, pelo qual produtos e ideias fluíam. O domínio do xá era um dos corações do mundo islâmico, a cultura mais rica e avançada do planeta. Lugares como

Samarcanda, Bucara e Merv, as joias do Império Corásmio, estavam entre as maiores cidades da Ásia Central e eram renomados centros de erudição, inovação e cultura.

Se você estiver pensando: que estranho, nunca ouvi falar do Império Corásmio... Pois é: *tem um motivo para isso.*

O fato é que a mensagem que o xá recebeu foi enviada por um cara chamado Gengis Khan. E poucos anos depois de o homem tomar sua péssima decisão... bem, o Império Corásmio deixou de existir.

Vale mencionar que, pelo que sabemos da história, a mensagem de amizade de Gengis era sincera. Nessa época, o grande guerreiro já tinha alcançado todos os seus objetivos: ele conquistara os povos nômades do norte da China e dos territórios ao redor, unindo todos eles ao seu Império Mongol — uma série de conquistas que variavam entre relativamente fáceis e extremamente brutais. Ainda havia algumas batalhas a serem vencidas ao leste, mas não existia qualquer plano de seguir para o oeste. Seus desejos e ambições foram realizados; além disso, ele já tinha quase 60 anos. Missão cumprida, hora de começar a planejar uma aposentadoria tranquila.

Mas foi sua recente conquista de Kara-Kitai — um império de nômades chineses deslocados que ocupava mais ou menos o que hoje é o Quirguistão, e uma das últimas resistências ao seu reino — que levou Gengis à porta da Corásmia e criou uma fronteira entre o mundo mongol e o islâmico. Como geralmente acontece em fronteiras, ainda mais naquelas que não são bem definidas, alguns conflitos militares inúteis entre os dois povos existiram. Isso ocorrera quando Mohamed II e seu exército foram brigar com alguns inimigos, mas deram de cara com os mongóis, que fizeram o favor de aparecer primeiro e expulsar todo mundo.

Essa não fora a primeira vez. Gengis parecia ter o hábito de chegar na frente de Mohamed e vencer as guerras que o xá pretendia lutar — o que talvez ajude a explicar a reação imprudente do imperador corásmio à oferta que Gengis fez depois daquela desavença inicial. É bem provável que ele se sentisse um pouco irritado e humilhado pelo fato de os mongóis roubarem sua glória. (Talvez isso devesse ter lhe alertado de que eles eram ótimos estrategistas militares, mas, bem, pelo visto não.)

Além do mais, as relações entre corásmios e mongóis podem ter sofrido o problema que sempre acontece quando há um ruído na comunicação. "Eu sou o senhor das terras do sol nascente, enquanto você governa as do sol poente" talvez tenha sido apenas a forma de Gengis mencionar uma questão geográfica básica e reconhecer o status de ambos como (mais ou menos) iguais. Mas existe uma tradução alternativa da mensagem: "Eu sou o soberano no nascer do sol, e você é o soberano ao pôr do sol." Olhando assim, parece que Gengis estava dando uma boa alfinetada na Corásmia. Para um líder que já se sentia incomodado por alguém estar vencendo suas guerras, será que pareceu que o mongol dizia "eu sou uma potência em ascensão, e você, uma potência em decadência, KKKK"?

Conduzido por uma série de emissários enviados de um lado a outro, o diálogo que se seguiu entre Mohamed e Gengis parece uma comédia de costumes passivo-agressiva. O imperador mongol se sentiu menosprezado pelas sedas finas que o xá lhe enviou de presente ("Esse homem acha que nunca vimos algo assim?"). Então retribuiu o presente enviando uma enorme pepita de ouro, talvez em uma tentativa de mostrar que seu povo também tinha coisas legais, apesar de morarem em tendas. Nesse ponto, seu sincero desejo por paz — "Minha maior vontade é viver em paz com você. Irei tomá-lo como meu filho" — não foi nada bem-recebido por Mohamed, que detestou ser chamado de "meu filho". (Aliás, a história fica muito mais engraçada se você disser "meu filho" com uma voz de gângster.)

Mesmo assim, com as formalidades e protocolos ainda sendo seguidos (apesar das picuinhas), Gengis claramente acreditava que sua sugestão de manter um relacionamento comercial pacífico fora aceita. Para começar, a proposta seria vantajosa para todos. "Você sabe que meu país é um formigueiro de soldados, uma mina de prata, e que eu não tenho necessidade de cobiçar outros domínios", disse ele a Mohamed em uma mensagem. "É de interesse mútuo fomentar o comércio entre nossos súditos."

Então, foi assim que Gengis enviou sua primeira caravana comercial à Corásmia, financiada com seu próprio dinheiro e guiada por seu próprio emissário: quatrocentos e cinquenta comerciantes, cem soldados e quinhentos camelos, com carroças abarrotadas de prata, seda e jades. Seu objetivo era, em primeiro lugar, garantir o fim do recente embargo da Corásmia contra o comércio através da fronteira com o Império Mongol. Todo mundo estava animado com a ideia, principalmente os territórios que se encontravam além das fronteiras corásmias: em teoria, a unificação do norte da China por Gengis facilitava a passagem pela Rota da Seda, e os comerciantes do mundo islâmico estavam loucos para entrar no mercado chinês. Mas a irritação territorial do xá havia fechado a rota. Assim, quando a caravana de comerciantes e produtos entrou na Corásmia, vindo de Otrar, em 1218, as pessoas devem ter achado que os bons tempos tinham voltado.

E foi aí que tudo deu muito, muito errado para boa parte do planeta.

Em vez de receber a caravana, deixar que estacionassem os camelos e oferecer uma xícara de chá para os visitantes, Inalchuq Qayir-Khan, o governador de Otrar, resolveu tentar outra abordagem. Ele mandou matar todo mundo e roubou as mercadorias. Foi um ataque-surpresa cruel, e apenas um dos quinhentos e cinquenta integrantes do grupo sobreviveu, porque ele estava tomando banho na hora do massacre e conseguiu se esconder atrás da banheira.

O incidente chocou a todos, um escândalo contra a decência, a hospitalidade e o bom senso. A explicação dada por Inalchuq — de que ele suspeitava que o grupo inteiro fosse formado por espiões — era completamente ridícula. Os comerciantes nem mongóis eram; o grupo era formado majoritariamente por muçulmanos da região dos uigures. A ideia de que comerciantes islâmicos em uma cidade islâmica, em uma importante rota comercial, estivessem correndo risco de serem massacrados pelo governo local sob um pretexto idiota era, no mínimo, bem perturbadora e péssima para os negócios.

E absolutamente ninguém acreditava que Inalchuq faria algo tão destrutivo — para um império cujo prestígio e fortuna dependiam do comércio — sem permissão ou ordem direta do próprio xá.

Se existia alguma dúvida de que Mohamed estava determinado a criar confusão com os mongóis, ela logo desapareceu. Por incrível que pareça, apesar do absurdo que acontecera em Otrar, Gengis estava disposto a dar uma segunda chance à Corásmia. O acordo comercial permanecia como prioridade para os mongóis (principalmente porque sua campanha de conquista não fora muito benéfica para a agricultura dos seus países, então eles precisavam comprar alguns itens). Sendo assim, Gengis enviou três emissários — um muçulmano e dois mongóis — para resolver a situação com Mohamed, exigindo a punição de Inalchuq, um reembolso dos produtos roubados e uma trégua.

Em vez de pedir desculpas, o xá decapitou o emissário muçulmano e botou fogo nas barbas dos mongóis, enviando-os de volta mutilados e humilhados.

Por quê? Sério, por que alguém faria isso? Será que Mohamed queria mesmo começar uma guerra contra Gengis Khan só porque ficara ofendido com uma descrição do pôr do sol?

É bem possível, e essa não é nem a explicação menos absurda. Porém, ao mesmo tempo, vale mencionar que a paranoia do xá ia um pouco além da extrema fragilidade masculina. De origem turca e descendente de escravos, ele era frequentemente tratado com desdém pelos nobres vizinhos persas e árabes do mundo muçulmano. Seu império tinha divisões internas e era quase tão jovem quanto o de Gengis. Seu relacionamento com a mãe era complicado, o que não ajuda nem um pouco. Ele tinha uma desavença de anos com al-Nasir, o califa árabe de Bagdá, e suspeitava que o homem estivesse secretamente conspirando com os mongóis contra seu reino. (Sejamos justos, não é impossível que al-Nasir estivesse *mesmo* conspirando com os mongóis, mas teria sido um ato muito contraproducente para todos os envolvidos.) Além disso, uma tentativa fracassada de tomar Bagdá, em 1217 — quando as tropas de Mohamed se perderam na neve tentando atravessar umas montanhas —, provavelmente o deixou ainda mais inseguro a respeito de suas capacidades militares.

Talvez ele tenha apenas subestimado a ameaça que Gengis representava. Em um bom exemplo de por que você deveria esperar até ter todas as informações possíveis antes de tomar uma atitude drástica, enquanto os emissários mongóis, agora desbarbados, voltavam para casa para alertar sobre a provocação de Mohamed, um dos emissários do xá fazia o caminho contrário com notícias de como os exércitos mongóis eram fortes. Ao descobrir onde tinha se metido, a reação do xá parece ter sido: "Ah." (Não exatamente nestas palavras.)

Assim, Gengis foi até o topo da Burkhan Khaldun, uma montanha perto de sua cidade natal aonde ele sempre ia quando pensava em travar uma guerra, e passou três dias e três noites rezando. Então enviou uma última mensagem a Mohamed — e, desta vez, para não dar espaço a erros de interpretação, ele foi bem direto. "Prepare-se para a guerra", disse ao xá. "Vou enfrentá-lo com um batalhão impossível de vencer."

Gengis e seu exército partiram para a Corásmia em 1219. Em 1222, o Império Corásmio tinha sido apagado do mapa.

As estimativas variam bastante, mas é provável que os mongóis tivessem pouco mais de cem mil soldados, enquanto o xá tinha o dobro ou mais e lutava em um terreno conhecido. Não fez diferença. Mohamed perdeu a vantagem de jogar em casa quando resolveu esperar as forças mongóis atrás das muralhas bem-protegidas de sua capital, acreditando que eles não tinham talento para cercos. No passado, os mongóis eram *mesmo* péssimos nisso, mas o xá não sabia que aquele era um exército que aprendia rápido. O primeiro cerco da guerra (contra a cidade de Otrar, logicamente) durou meses. Depois disso, o restante durou semanas, ou até dias.

Os soldados mongóis eram rápidos, adaptáveis, disciplinados e inteligentes. Gengis dividia suas forças para atacar em direções inesperadas, emboscar tropas de reforço ou focar vários alvos de uma só vez. Eles se comunicavam rápido e mudavam de tática com facilidade, assimilando as estratégias e as armas daqueles que tinham vencido. E eram muito, muito impiedosos.

Os mongóis atravessaram a Corásmia em uma velocidade assustadora. Todas as cidades que eles tomavam recebiam a oportunidade de se render, e aquelas que aceitavam eram tratadas com uma generosidade relativa (ênfase em "relativa"): elas eram saqueadas e perdiam tudo de valor, mas a população sobrevivia. Porém, se não se rendessem ou tentassem se rebelar depois, a resposta era brutal.

Na terra natal de Omar Caiam, Nixapur, onde o genro favorito de Gengis foi morto em batalha, foi permitido que sua viúva enlutada decidisse o destino da região: como resultado, todos os moradores (com exceção de alguns artesãos habilidosos) foram executados, e seus dezessete mil crânios foram empilhados em uma enorme pirâmide. A matança levou dez dias, e depois os mongóis ainda mataram todos os cachorros e gatos da cidade, só para enfatizar seu poder. Em Gurganj, uma das poucas cidades que conseguiu mantê-los afastados por vários meses, os mongóis abriram a represa que desviava o rio

Amu Dária, enviando uma onda mortal que destruiu o local (e, pelo que dizem, mudou o curso do rio por vários séculos, como mencionado em um capítulo anterior). Inclusive, esses dois eventos aconteceram no mesmo mês, em 1221, que talvez tenha sido um dos meses mais destrutivos da história.

Gengis sabia o valor da propaganda do terror e descobriu que o extremamente letrado mundo islâmico o ajudaria bastante nesse quesito: ele fazia questão de enviar cartas contando sobre suas novas conquistas, já que isso aumentava as chances de as próximas cidades em que chegasse se renderem sem lutar.

Ao mesmo tempo, ele também se esforçava para respeitar as religiões, e costumava ser mais gentil com os locais religiosos de maior importância. Apesar de sua brutalidade selvagem, o Império Mongol comandado por Gengis também era surpreendentemente tolerante, ao ponto de ele criar aquilo que foi, provavelmente, a primeira lei do mundo que garantia liberdade religiosa. Isso trazia benefícios pragmáticos, claro: os oponentes ficavam mais dispostos a se render quando percebiam que aquela não era uma guerra sagrada, além de transformar minorias religiosas em potenciais aliados. Quando a cidade de Bucara, centro da teologia muçulmana, caiu nos primeiros meses de 1220, Gengis ordenou, em meio à destruição, que ninguém tocasse na Grande Mesquita. Ele mesmo visitou o local depois — o único registro de ter entrado em uma cidade que conquistara. Grande entusiasta de tendas e planícies abertas, adorador do deus Eterno Céu Azul, Gengis nunca viu nenhum propósito nas cidades além de coisas a serem conquistadas.

E o que aconteceu com Mohamed, cuja absurda incompetência diplomática foi o catalisador de tudo aquilo? Escondido na cidade-irmã de Bucara, Samarcanda, o xá entendeu o que estava por vir assim que ela caiu. Ele bateu em retirada e passou o próximo ano engajado no que poderia ser descrito, generosamente, como "luta na retaguarda", ou, menos generosamente, como "fuga com o rabo entre as pernas". Gengis mandou vinte mil soldados perseguirem o xá através de seu império decadente, com ordens de só voltarem depois que o prendessem ou o matassem. O batalhão seguiu na sua cola até a costa do mar Cáspio, onde Mohamed buscou refúgio em várias ilhas. Foi em uma delas que ele — louco, sem um centavo e vestindo trapos — morreu de pneumonia, em janeiro de 1221.

Se Gengis tivesse interrompido seus ataques após o objeto de sua ira ter morrido, talvez o nome de Mohamed tivesse se tornado um rodapé nos anais da história. Mas ele não parou. A destruição da Corásmia continuou durante o ano de 1221, e a violência ficou ainda mais extrema. As ordens de aniquilar toda a população das cidades que resistissem se tornou explícita — como Nixapur, Gurganj, Merv e outros lugares viriam a descobrir.

E, depois que o Império Corásmio foi aniquilado... Gengis seguiu em frente, talvez impressionado com a facilidade com que conquistara tudo. O desinteresse em expandir seu império para o oeste agora se transformara em um desejo enorme de ver o quanto ele conseguiria dominar. Boa parte do mundo islâmico asiático foi engolida, e os mongóis seguiram para a Europa. Depois da morte de Gengis, em 1227, seus filhos e netos continuaram a expansão. No auge, o Império Mongol foi o maior império já visto na história, se estendendo da Polônia até a Coreia.

Apesar da sua derrocada após algumas gerações, causada pelo partidarismo e por brigas internas, como geralmente acontece com impérios, seu legado permaneceu em algumas áreas por muito tempo — chegando ao século XX. No emirado de Bucara, os descendentes diretos de Gengis governaram até 1920, e o último reinado da dinastia Khan só acabou quando os bolcheviques apareceram. (Em 1838, um soldado britânico chamado Charles Stoddart, em uma missão diplomática para convencer Bucara a se juntar ao Império Britânico, ironicamente conseguiu recriar o erro de Mohamed em um microcosmo: depois de ofender o emir Nasrullah Khan sem nenhum motivo, ele foi jogado em um lugar bem desagradável, conhecido como o Poço dos Insetos, onde passou vários anos horríveis tendo sua carne devorada por bichos antes de finalmente ser executado. Não brinque com os Khan.)

A cultura, a história e os registros de muitos lugares conquistados pelos mongóis foram completamente destruídos, populações inteiras foram realocadas, e o total incalculável de mortes fica na casa de milhões. Mas até que existe um lado bom: a unificação e a estabilização das mesmas rotas comerciais que causaram o problema incentivaram uma troca cultural entre os continentes, o que ajudou no desenvolvimento da era moderna e em grande parte da Eurásia. O lado negativo foi que, além de trocar cultura, as pessoas também trocavam doenças, incluindo a peste bubônica, que matou outros milhões.

E tudo isso porque um homem de ego frágil resolveu que diplomacia era para os fracos e que um simples pedido de acordo comercial devia ser uma conspiração. Ala ad-Din Mohamed, você fodeu com tudo, meu filho.

MAIS QUATRO FRACASSOS IMPRESSIONANTES DAS RELAÇÕES INTERNACIONAIS

Atahualpa

O soberano inca que, em 1532, cometeu um erro parecido com o de Moctezuma ao se deparar com uma invasão espanhola. Só que ele melhorou a situação ao encher a cara antes de se encontrar com os espanhóis e guiar suas tropas até uma armadilha bem óbvia.

Vortigerno

O governante britânico do século V que, sem ter como se defender dos Pictos após os romanos irem embora, aparentemente convidou mercenários saxões a ficarem na Bretanha para lutarem ao seu lado. Em vez disso, os saxões resolveram assumir o comando.

Francisco Solano López

O líder paraguaio que conseguiu meter seu país relativamente pequeno em uma guerra contra o Brasil, a Argentina e o Uruguai, todos muito maiores. Estima-se que mais da metade da população do Paraguai tenha morrido.

O telegrama Zimmerman

Em 1917, a Alemanha enviou um telegrama secreto para o México, oferecendo uma aliança militar se os Estados Unidos entrassem na Primeira Guerra Mundial — e prometendo o Texas, o Novo México e o Arizona como recompensa. Quando os britânicos interceptaram a mensagem, ela acabou acelerando a decisão dos Estados Unidos de participarem da guerra (e o México nem estava interessado em nada daquilo).

9

A merda sanguinária da tecnologia

A compulsão humana por explorar e buscar constantemente novos horizontes é — como já mencionei — uma de nossas características mais importantes. Foi essa necessidade de investigar e desvendar o desconhecido que levou a NASA a lançar o Orbitador Climático de Marte no vácuo escuro, vazio e vasto do espaço em 1998.

Poucos meses depois, o Orbitador Climático de Marte deu de cara com um monte de pedras e fez papel de idiota.

Demonstrando a espetacular capacidade humana de cometer os mesmos erros várias vezes seguidas, as pessoas responsáveis pelo Orbitador, pouco mais de cinco séculos depois de Cristóvão Colombo errar as unidades de medida, fazer cálculos equivocados e encalhar nas Américas, erraram as unidades de medida, fizeram cálculos equivocados e acabaram caindo em Marte.

O próximo grande passo da humanidade em nossa jornada através da história, a revolução científica, começou no século XVI, com cartas e livros sendo trocados por filósofos por toda a Europa. No começo, aquilo era mais para botar a fofoca em dia do que uma revolução; boa parte do que eles faziam era apenas redescobrir fatos que já tinham sido compreendidos por civilizações anteriores. Mas, junto com o aumento das viagens, das conquistas e do comércio global — sempre faminto por tecnologia e novos conhecimentos —, a revolução científica expandiu o nosso entendimento do mundo com o passar dos séculos. Ela não nos deu apenas vários dados científicos, mas também o conceito de ciência — uma disciplina diferente, com seus próprios métodos, em vez de apenas uma variante do "vou só pensar um pouquinho".

O ritmo das mudanças tecnológicas continuou a acelerar até que, nos séculos XVII e XVIII, ao norte da Grã-Bretanha, nas cidades abastecidas pelo algodão americano barato das plantações escravagistas, outra revolução começou a acontecer. Dessa vez, por conta dos métodos de manufatura, com o surgimento de máquinas que permitiam produções em grande escala — algo que se disseminaria pelo mundo e mudaria para sempre nossas cidades, nosso meio ambiente, nossa economia e nossa capacidade de comprar um hidromassageador para pés na Amazon às três da manhã, completamente bêbados.

Nossos ancestrais jamais sonhariam com as oportunidades que o surgimento das eras científica, tecnológica e industrial criou para nós. Infelizmente, elas também nos deram a chance de fracassar em uma escala jamais imaginada. Quando Colombo errou as unidades de medida, ele pelo menos restringiu sua burrada à superfície da Terra. Agora, como nos mostra a infeliz história do Orbitador Climático de Marte, podemos ser idiotas no *espaço*.

O fracasso do Orbitador só começou a ficar aparente depois que a missão já se estendia por vários meses, quando tentativas do centro de controle de fazer pequenos ajustes na trajetória da espaçonave para mantê-la no rumo certo não surtiram o efeito desejado. Porém o tamanho do erro só ficou claro quando a nave chegou a Marte e tentou entrar em órbita, mas perdeu o contato com a base quase imediatamente.

A investigação posterior revelou o que aconteceu: o Orbitador usava a unidade métrica padrão de newton segundo para medir impulso (o total de pressão aplicada em uma manobra). Mas o software no computador da base, fornecido por um prestador de serviços, usava a medida imperial de libra-força. Sempre que os motores da nave eram acionados, o efeito era mais de quatro vezes maior do que o imaginado — fazendo com que o Orbitador se aproximasse da superfície de Marte mais de cento e sessenta quilômetros do que deveria. Quando ele tentou entrar em órbita, acabou batendo na atmosfera, e a moderna espaçonave de trezentos e vinte e sete milhões de dólares se despedaçou quase no mesmo instante.

Deve ter sido uma vergonha para a NASA, mas talvez o pessoal de lá tenha se sentido reconfortado ao saber que eles não foram, nem de longe, os únicos a cometer mancadas na área científica e tecnológica. Outro exemplo disso não vem da corrida espacial, mas de uma corrida bem diferente, na qual os cientistas americanos entraram quando, em 1969, passaram a competir com os colegas soviéticos para desvendar os mistérios de uma descoberta revolucionária: uma forma completamente nova da água.

Era o auge da Guerra Fria, e o exaustivo confronto ideológico não se tratava apenas de manobras geopolíticas, riscos nucleares e do mundo sombrio da espionagem. Ele também fez surgir uma competição de proezas científicas e de engenharia entre comunistas e capitalistas. Novas descobertas e avanços tecnológicos surgiam em um ritmo frenético, e o terror de ser ultrapassado pelo inimigo era constante; em julho daquele ano, um ser humano caminharia na superfície da Lua, levado até lá por causa do susto que o governo americano levara com uma série de conquistas espaciais soviéticas.

Em meio a todos esses desdobramentos grandiosos e cinematográficos, encontrar uma nova forma da água pareceu, no começo, ser uma bobagem. Descoberta em 1961 por Nikolai Fedyakin, um cientista que trabalhava em um laboratório soviético provincial, bem longe dos maiores centros científicos, seu potencial só foi detectado depois que Boris Derjaguin, do Instituto de Físico-Química em Moscou, leu seu trabalho. Derjaguin logo replicou o experimento de Fedyakin e, para a surpresa de ninguém, começou a levar o crédito pela descoberta — porém não houve muito interesse no assunto fora da União Soviética. Foi apenas em 1966, quando ele apresentou seus estudos em uma conferência na Inglaterra, que a comunidade internacional começou a prestar atenção à pesquisa dele. A corrida tinha começado.

Chamada inicialmente de "água anômala" ou "água-produto", a descoberta tinha propriedades impressionantes. Fedyakin e Derjaguin determinaram que o processo de condensar ou forçar água normal por tubos capilares de quartzo ultrapuros e superestreitos tinha, de alguma forma, feito com que ela se reorganizasse, alterando radicalmente suas propriedades químicas. A "água anômaia" não congelava a zero grau Celsius; ela precisava chegar a quarenta graus negativos para isso. Seu ponto de ebulição era ainda mais alto, girando em torno de cento e cinquenta graus e chegando, às vezes, a seiscentos e cinquenta. Ela era mais viscosa que a água normal, mais grossa e engordurada, e quase não era líquida — algumas descrições a comparavam com vaselina. Se você a cortasse com uma faca, a marca permaneceria.

Cientistas passaram a replicar o trabalho dos soviéticos, primeiro na Inglaterra, depois nos Estados Unidos. Era um processo difícil, já que os tubos usados só permitiam a produção de quantidades minúsculas por vez: alguns pesquisadores mal conseguiam acertar a técnica, enquanto outros iam muitíssimo bem, produzindo aos montes. Foi em um desses laboratórios americanos que a próxima grande descoberta aconteceu: foi sintetizada água anômala suficiente para conseguirem realizar uma espectroscopia no infravermelho da substância. Os resultados foram publicados no prestigioso periódico *Science*, em junho de 1969, um mês antes de Armstrong caminhar pela Lua, impulsionando ainda mais as pesquisas. O trabalho não só confirmava as propriedades radicalmente diferentes da substância quando comparadas com a água padrão, como também oferecia uma explicação: os resultados sugeriam que aquela era uma versão polimérica da água, com as moléculas individuais de H_20 se unindo em estruturas de cadeia que a tornavam mais estável. E foi assim que a "água anômala" passou a ser conhecida pelo nome que usamos hoje: "poliágua".

A descoberta da poliágua "com certeza revolucionará a química", afirmou o *Popular Science*, em dezembro de 1969, detalhando os possíveis usos em sistemas de refrigeração, como lubrificante para motores ou como moderador em reatores nucleares. A matéria também explicou muitos aspectos do mundo natural: a poliágua podia ser encontrada na argila, por isso mantinha uma maleabilidade pastosa até ser aquecida em temperaturas altas o suficiente para finalmente remover a poliágua. Talvez essa água também fosse responsável por aspectos climáticos, com pequenas quantidades participando da formação de nuvens. E com certeza ela estava presente no corpo humano.

A descoberta provavelmente faria surgir um novo tipo de química, já que alguns laboratórios relatavam a produção de versões poliméricas de outros líquidos quimicamente vitais: polimetanol, policetona. Ou, pior ainda, havia preocupações sobre possíveis usos militares, talvez até na criação de armas especiais: a estrutura da poliágua sugeria que ela apresentava um nível de energia menor que a água normal, levantando a possibilidade de que, quando os dois líquidos entrassem em contato, uma reação em cadeia seria iniciada, fazendo com que a água normal se reorganizasse e adotasse sua forma polimérica. A teoria era que uma gota de poliágua acrescentada estrategicamente a um reservatório ou a um rio poderia acabar convertendo todo o corpo de água, transformando o conteúdo inteiro em uma calda. Seria possível sabotar o suprimento de água de um país.

Após a matéria na *Science*, o governo americano resolveu intervir. Agentes da CIA interrogaram pesquisadores envolvidos no estudo, tentando garantir que todas as descobertas permanecessem no país. A poliágua era alvo de discussões acaloradas em toda a mídia, do *The New York Times* a jornais de cidades pequenas: será que os Estados Unidos estavam sendo deixados para trás pelos soviéticos? A pesquisa sobre a poliágua virou prioridade e recebeu patrocínio. Centenas de trabalhos científicos foram publicados sobre ela só na década de 1970. "Boas notícias", anunciou, aliviado, o *The Wall Street Journal*, em 1969, após as notícias do investimento inicial. "O governo americano fechou a lacuna da poliágua, e o Pentágono está financiando os estudos para aprimorarmos essa tecnologia antes da União Soviética."

Você já deve ter adivinhado, né? Quero dizer, já estamos quase no final do livro; a essa altura, deve ser óbvio que a história da poliágua não termina com um triunfo científico, com todo mundo se parabenizando e ganhando o prêmio Nobel. Mas foi só no final da década de 1970, após anos de pesquisas executadas pelos melhores cientistas, nos melhores laboratórios e em vários continentes, que a verdade apareceu:

A poliágua não existe. Simplesmente não existe.

Aquilo que Fedyakin e Derjaguin descobriram e que os cientistas do mundo todo passaram anos pesquisando, replicando e estudando de todas as maneiras possíveis era uma substância melhor descrita como "água suja". Todas as propriedades supostamente milagrosas da poliágua eram apenas impurezas que entraram em um equipamento que deveria ser estéril.

Um cientista americano cético, Denis Rousseau, conseguiu replicar, de forma quase idêntica, a espectroscopia da poliágua com algumas gotas do próprio suor, espremido de sua camisa após uma partida de handebol. Essa era a substância misteriosa que as grandes potências da Guerra Fria queriam tanto controlar. Suor.

Tenso.

Rousseau não foi o primeiro a duvidar — vários cientistas achavam que a descoberta parecia implausível; um deles até anunciou que, se a poliágua existisse de verdade, ele desistiria da química para sempre. Mas, às vezes, é difícil desmentir as coisas, especialmente quando as pessoas são acometidas pelo medo de que sua poliágua não estivesse fazendo o que deveria fazer porque elas não conseguiam recriá-la direito. A dificuldade em produzir mais do que resquícios da substância, junto com a atmosfera febril no mundo das pesquisas científicas da Guerra Fria, fizeram com que cientistas de vários continentes só enxergassem aquilo que queriam enxergar, interpretando resultados vagos ou contraditórios com um exagero absurdo. A situação toda foi puro idealismo científico.

Mesmo após a publicação dos primeiros trabalhos questionando a existência da poliágua (também na *Science*, em 1970), anos se passaram até todo mundo finalmente admitir que aquilo fora um erro. Ellison Taylor, um dos céticos envolvidos nas tentativas de provar a inexistência da poliágua, escreveu na revista interna do Laboratório Nacional de Oak Ridge, em 1971: "[Nós] sabíamos que eles estavam equivocados desde o princípio, e imagino que muitas das pessoas que nunca se envolveram com o projeto também soubessem, mas nenhum dos protagonistas pareceu admitir seu erro." A *Popular Science* até publicou um artigo chamado "Como cultivar sua própria poliágua", em junho de 1973. O subtítulo era: "Alguns especialistas alegam que essa substância rara não existe. Mesmo assim, veja como é possível coletar uma quantidade suficiente para realizar seus próprios experimentos."

Essa não foi nem de longe a única vez em que algo assim aconteceu. É claro, os primeiros séculos de experimentos científicos (antes mesmo de o termo "ciência" ser inventado) foram cheios de teorias populares que acabaram se mostrando completamente erradas — no século XVIII, foi a teoria do flogisto, uma substância misteriosa que ocupava o interior de todos os materiais inflamáveis e que era liberada na sua queima; no XIX, foi o éter luminífero, uma substância invisível que permeava o universo e transmitia luz. Mas pelo menos esses dois tentam explicar algo que a ciência da época não conseguia justificar. É mais ou menos assim que a ciência deveria funcionar.

A ciência tem uma quantidade de acertos bem decente porque, pelo menos na teoria, ela parte do princípio razoável e autocrítico de que a maioria das nossas impressões sobre como o mundo funciona está errada. A ideia é seguir na direção geral dos acertos, mas isso é feito através de um processo lento em que os experimentos vão se tornando cada vez menos errados. As coisas deveriam funcionar assim: para descobrir se existe alguma chance de sua teoria sobre o funcionamento do mundo estar correta, você se esforça muito para provar que ela está errada. Se não conseguir encontrar nenhum erro, você tenta de novo, procurando outras maneiras. Depois de um tempo, você decide contar para seus colegas que não conseguiu detectar seu erro, e aí todo mundo tenta ajudá-lo com isso. Se ninguém encontrar problema algum, as pessoas lentamente começam a aceitar que sua ideia talvez esteja certa, ou que seja menos errada que as alternativas.

É claro, não é assim que as coisas funcionam na *realidade*. Os cientistas são tão suscetíveis quanto qualquer ser humano a presumir que sua visão do mundo é a correta, ignorando todos os sinais que dizem o contrário. É por isso que todas as estruturas da ciência — revisão por pares, replicação e coisas assim — existem para evitar que algo do tipo aconteça. Mas não é um método à prova de falhas, porque o pensamento de grupo, o efeito manada, a pressão política e a tendenciosidade ideológica também existem no mundo científico.

E é assim que acabamos com um monte de cientistas de instituições e países diferentes se convencendo de que conseguiam ver a mesma substância imaginária. A saga da poliágua não é o único exemplo de algo assim: seis décadas antes, a comunidade científica entrou em frenesi pela descoberta de um novo tipo de radiação. Esses incríveis raios novos (que, no final das contas, eram completamente imaginários) foram batizados de raios N.

Os raios N foram "descobertos" na França e receberam esse nome em homenagem à cidade de Nancy, onde trabalhava o cientista que os identificou — René Blondlot, um premiado pesquisador considerado um físico experimental excelente e dedicado. O ano era 1903, menos de uma década depois da descoberta dos raios X abalar a comunidade científica, então as pessoas acreditavam que poderiam descobrir novas formas de radiação em cada esquina. Além disso, assim como a poliágua, havia certa rivalidade internacional no ar — os raios X tinham sido descobertos na Alemanha, então os franceses também queriam brincar.

Blondlot se deparou com os raios N por acidente — na verdade, aconteceu enquanto ele pesquisava os raios X. Seu equipamento experimental usava uma pequena fagulha que ficava mais brilhante conforme os raios passavam por ali, e ele se surpreendeu ao ver a chama aumentar em um momento em que não poderia ser afetada pelos raios X. René fez outros experimentos, juntou mais provas e, na primavera de 1903, anunciou sua descoberta ao mundo na revista científica *Comptes rendus de l'Académie des sciences*. Uma grande parte da comunidade científica ficou, rapidamente, maníaca pelos raios N.

Nos anos seguintes, cerca de trezentos trabalhos sobre suas impressionantes propriedades seriam publicados por mais de cento e vinte cientistas (o próprio Blondlot publicou vinte e seis). As características demonstradas pela descoberta com certeza eram... intrigantes. Os raios poderiam ser criados com o auxílio de alguns tipos específicos de chama, de folhas de ferro aquecidas e da luz solar. Um colega de Blondlot, Augustin Charpentier, descobriu que eles também eram produzidos por seres vivos: por sapos e coelhos, pelos músculos do bíceps e pelo cérebro humano. Os raios conseguiam atravessar metal e madeira e podiam ser transmitidos ao longo de um fio de cobre, mas eram bloqueados por água e pedras de sal. Eles também podiam ser armazenados em tijolos.

Infelizmente, nem todo mundo conseguia produzir e observar os raios N. Muitos outros cientistas renomados eram incapazes de invocá-los, apesar de Blondlot ser muito prestativo ao descrever seus métodos. Talvez isso ocorresse porque eles eram difíceis de detectar: a essa altura, Blondlot já abandonara o método da faísca brilhante para visualizá-los, preferindo usar uma folha fosforescente que emitiria um brilho discreto quando exposta aos raios. O problema era que a mudança no brilho da folha era tão fraca que só poderia ser vista em uma sala escura, depois que o pesquisador permitisse que seus olhos se acostumassem à escuridão por meia hora. Ah, também funcionava melhor se você não encarasse a folha diretamente, mas a observasse de canto de olho.

Porque, é claro, passar meia hora sentado em uma sala escura, analisando um brilho muito leve com sua visão periférica não causaria nenhuma ilusão de ótica.

Os descrentes dos raios N, que eram muitos, perceberam um padrão na nova obsessão por esses raios: praticamente todos os cientistas que conseguiram produzi-los eram franceses. Havia algumas poucas exceções na Inglaterra e na Irlanda; mas ninguém na Alemanha ou nos Estados Unidos foi capaz de vê-los. Isso começou a causar não apenas ceticismo, mas também irritação: enquanto a Academia Francesa deu a Blondlot um dos prêmios científicos mais importantes do país por seu trabalho, um dos melhores especialistas alemães em radiação, Heinrich Rubens, foi convocado pelo kaiser e forçado a desperdiçar duas semanas tentando recriar o trabalho de Blondlot antes de desistir, humilhado.

Tudo isso fez com que o físico americano Robert Wood decidisse visitar o laboratório de Blondlot, em Nancy, durante uma viagem à Europa para uma conferência. O cientista francês estava feliz em recebê-lo para demonstrar suas novas descobertas, mas Wood tinha outro plano em mente. Uma das propriedades mais estranhas dos raios misteriosos era que, assim como a luz, que é refratada por um prisma de vidro, os raios N poderiam ser refratados por um prisma de alumínio, produzindo um espectro de padrões de raios em uma folha. Solícito, Blondlot demonstrou essa característica para o visitante, lendo em voz alta as medidas dos padrões. Wood então lhe pediu para repetir o experimento, e o francês concordou. Foi então que o visitante introduziu um controle científico apropriado — ou melhor, pregou uma peça bem engraçada em Blondlot.

Na escuridão, sem o anfitrião notar, ele pegou o prisma e o enfiou no bolso. Sem saber que seu equipamento perdera o componente principal, Blondlot continuou a ler os resultados do comprimento das ondas de um espectro que não deveria mais existir.

Wood resumiu suas descobertas em uma carta educadamente brutal para a *Nature*, em 1904: "Após passar mais de três horas testemunhando vários experimentos, não só sou incapaz de relatar qualquer observação que indicasse a existência dos raios, mas estou fortemente convicto de que os poucos pesquisadores que obtiveram resultados positivos estavam, de alguma forma, iludidos." Depois disso, as pessoas perderam o interesse pelos raios N, apesar de Blondlot e alguns outros adeptos da ideia continuarem insistindo, determinados a provar que não passaram aquele tempo todo estudando uma miragem.

As histórias da poliágua e dos raios N nos mostram como até os cientistas são vítimas das mesmas propensões que afetam todos nós, mas também provam que a ciência... bem, funciona. Embora o entusiasmo pelas duas coisas tenha sido bem vergonhoso para vários profissionais extremamente qualificados, a mania só durou alguns anos antes do ceticismo e da necessidade de evidências concretas vencerem. Isso aí, galera.

Porém, se esses exemplos são relativamente inofensivos, existem vários casos em que experimentos duvidosos fizeram bem mais do que danificar a reputação de algumas pessoas. Como, por exemplo, o legado de Francis Galton.

Não há dúvidas de que Francis Galton era um gênio e um polímata, mas também um esquisitão sinistro com ideias terríveis, que tiveram consequências piores ainda. Primo de Charles Darwin, ele fez descobertas em várias áreas. Foi pioneiro das estatísticas científicas, inventando, inclusive, o conceito de correlação, e suas criações em diversos campos — como meteorologia e medicina forense — são utilizadas até hoje, seja no uso do mapa meteorológico ou no uso de impressões digitais para identificar pessoas.

O homem era obcecado por medir coisas e aplicar princípios científicos a tudo o que via — suas cartas publicadas na *Nature* incluem um texto que estima o número total de pinceladas em um quadro (depois que ele ficou entediado ao posar várias vezes para uma pintura), e outra, de 1906, intitulada "Cortando um bolo redondo com base em princípios científicos". (Resumindo: não faça fatias em V, mas um corte reto no centro, de forma que você possa juntar as metades para impedi-las de ressecar.)

Mas sua obsessão ia além de criar truques extremamente britânicos para a hora do chá. Em uma de suas investigações mais infames, Galton fez um tour pelos vilarejos e cidades da Grã-Bretanha para tentar criar um mapa dos locais em que as mulheres eram mais bonitas. Ele se sentava em um lugar público e escondia no bolso um aparelho chamado "espeto" — um dedal com uma agulha, que usava para furar um pedaço de papel com marcações —, registrando assim sua atração sexual por todas as mulheres que passassem por ali. O produto final foi um "mapa da beleza" do país, bem parecido com seus mapas meteorológicos, que revelava que as mulheres de Londres eram as mais belas, enquanto as de Aberdeen eram as mais feias. Pelo menos de acordo com a opinião de um estatístico tarado, que avaliava se as mulheres eram comíveis ou não com uma agulha escondida no bolso — o que provavelmente não é a medida mais objetiva.

Foi essa mesma combinação de características — uma compulsão por medir aspectos humanos e uma completa falta de respeito pela humanidade das pessoas avaliadas — que levou Galton à sua contribuição mais infame ao mundo da ciência: sua invenção e defesa do termo "eugenia". Ele acreditava veementemente que talentos eram características herdadas e que o sucesso de uma pessoa só dependia de sua natureza interior, não de dinheiro ou das circunstâncias. Sendo assim, ele também achava que o casamento entre pessoas consideradas adequadas para a procriação deveria ser incentivado, talvez com recompensas financeiras, para melhorar a qualidade da raça humana; e que aqueles que fossem indesejados, como as pessoas com deficiência e os pobres, deveriam ser fortemente desencorajados a se reproduzir.

No começo do século XX, o movimento da eugenia ganhou força no mundo inteiro, e Galton (agora no fim de sua vida) era visto como herói. Trinta e um estados americanos aprovaram leis de esterilização obrigatória — quando a última delas finalmente foi revogada, na década de 1960, mais de sessenta mil pessoas em hospitais psiquiátricos nos Estados Unidos tinham sido esterilizadas à força, em sua maioria mulheres. Uma quantidade semelhante de pessoas foi esterilizada na Suécia, em uma tentativa de promover "higiene étnica", onde a lei só foi revogada em 1976. E, é claro, na Alemanha nazista... Bem, você sabe o que aconteceu. Galton sem dúvidas ficaria horrorizado se tivesse vivido o suficiente para ver o que estava sendo feito em nome da "ciência" que ele criou, mas isso não torna suas teorias iniciais menos erradas.

Também temos Trofim Lysenko, o cientista agrícola soviético cujas péssimas ideias causaram crises de fome tanto na União Soviética quanto na China (como mencionado lá no Capítulo 3). Ao contrário de Galton, Lysenko não deixou um legado de avanços científicos legítimos. Ele só estava bem errado mesmo.

De família pobre, o cientista ganhou notoriedade bem rápido no campo da agronomia soviética, graças a alguns sucessos iniciais com seu experimento de estimular o crescimento de sementes sem precisar plantá-las nos invernos gelados. Ele acabou se tornando um dos favoritos de Stálin, que lhe deu poder suficiente para começar a impor suas ideias pelo restante da comunidade científica soviética.

Tais ideias não estavam certas — não chegavam nem perto —, mas tinham a vantagem de apelar para as tendências ideológicas dos chefes comunistas de Lysenko. Apesar de a genética já ser um assunto bem estabelecido na década de 1930, ele a rejeitava completamente, chegando até a negar a existência dos genes, alegando que isso promovia uma visão individualista do mundo. A genética sugeria que o comportamento dos organismos era predeterminado e imutável, enquanto Lysenko acreditava que mudar o ambiente poderia melhorar os seres e transmitir essas mudanças à sua prole. Uma espécie de planta poderia até se transformar em outra, caso estivesse no ambiente certo. As fileiras de plantações deveriam ser mais próximas, ele instruía aos fazendeiros, porque os vegetais da mesma "classe" jamais competiriam uns com os outros por recursos.

Não só nada disso era verdade, como era um absurdo, e o erro ficou evidente quando as tentativas de botar a ideia em prática só resultaram em safras mortas. Isso não impediu que Lysenko mantivesse seus poderes políticos e abafasse as críticas — chegando ao ponto de mandar demitir, prender ou até matar milhares de biólogos soviéticos que se recusavam a abandonar a genética e seguir o Lysenkoismo. Foi apenas em 1964, quando Khrushchov saiu do poder, que outros cientistas finalmente conseguiram convencer o partido de que Lysenko era um charlatão, e ele foi discretamente afastado. Seu legado foi contribuir para milhões de mortes e deixar as pesquisas biológicas soviéticas décadas atrás do restante do mundo.

Mas se os erros de Lysenko na biologia foram completamente viabilizados pelo comunismo, o próximo caso foi pelo capitalismo — o conto de um homem que conseguiu cometer não apenas um, mas dois dos erros mais desastrosos da história da ciência, tudo no espaço de uma década.

Chumbo grosso

Em 1944, o engenheiro, químico e inventor genial Thomas Midgley Jr., homem cujas descobertas ajudaram a moldar o mundo moderno de formas impressionantes, faleceu em casa, na sua cama, aos 55 anos.

É de se imaginar que morrer em casa, na própria cama, seja algo bem tranquilo. Não nesse caso. Paralisado da cintura para baixo devido a um episódio de poliomielite alguns anos antes, Midgley detestava a indignidade de precisar de ajuda para sair e voltar da cama. Isso o levava a colocar em prática seu talento para inovações, criando um elaborado sistema de roldanas para fazer isso por conta própria. A ideia estava dando muito certo até aquele dia de novembro, quando algum problema ocorreu e ele foi encontrado estrangulado pelas cordas do aparelho.

A causa de sua morte é de uma ironia mórbida — mas não é por isso que Tom Midgley aparece neste livro. O motivo de sua presença é que, por incrível que pareça, ser morto na cama pela própria invenção não foi um dos dois piores erros da sua vida.

Na verdade, de acordo com praticamente todos os padrões, ele deve ser uma das pessoas mais caóticas que já existiram.

Midgley era um homem tranquilo e inteligente, que passou boa parte da vida em Columbus, Ohio. Nascido em uma família de inventores, ele praticamente não tinha nenhuma experiência como químico, mas demonstrava talento para resolver problemas que abarcavam uma série de disciplinas — através de uma mistura de análise sistemática das questões e insistência em bolar soluções aleatórias até alguma dar certo.

Nas décadas de 1910 e 1920, ele tentou resolver o problema dos motores de carro que "detonavam" — uma questão persistente em que os motores tremiam e engasgavam, principalmente em situações de muito trabalho. Isso não só fazia com que os primeiros carros fossem meio ruins, como também reduzia o aproveitamento do combustível, uma preocupação grave na época, quando já havia pessoas achando que os suprimentos de petróleo do mundo acabariam em um futuro próximo.

Midgley e seu chefe, Charles Kettering, suspeitavam que a detonação ocorria não por conta de um defeito no projeto dos motores, mas porque o combustível queimava de forma desigual. Então, eles começaram a buscar um aditivo que reduzisse esse efeito. Inicialmente, por motivos que não fazem quase sentido nenhum, os dois resolveram que a solução era "a cor vermelha". Midgley foi buscar a tinta, mas o laboratório não tinha nenhuma lata no estoque. No entanto, alguém disse que o iodo era avermelhado e dissolvia em óleo, então ele pensou "ah, por que não?", enfiou um monte de iodo na gasolina e colocou a mistura em um motor.

Deu certo.

Foi pura sorte, mas eles encontraram uma prova de que estavam no caminho certo. O iodo em si não era uma solução prática: a substância era cara demais e muito difícil de produzir nas quantidades necessárias. Mas foi o suficiente para convencê-los a continuar com o trabalho. Nos anos seguintes, a dupla testou — dependendo de qual declaração corporativa você acreditar — um número de compostos diferentes que varia de trinta e três mil a cento e quarenta e quatro mil. Se essa variação parece muito imprecisa, bem, existe um motivo para as empresas por trás do trabalho terem sido vagas sobre o processo de pesquisa.

O problema é que a substância que os dois finalmente decidiram usar foi o chumbo (para ser mais específico, um composto químico chamado chumbo tetraetila, ou CTE). E o chumbo é um veneno mortal. Ele causa, entre outras coisas, pressão alta, problemas nos rins, anormalidades fetais e danos no cérebro. Além de afetar, principalmente, as crianças.

A história de Midgley é frequentemente contada como um exemplo de "consequências acidentais", coisa que... Não, não é verdade. De fato, "intoxicar gerações inteiras de pessoas ao redor do mundo" não era seu objetivo. Mas, ao mesmo tempo, ninguém envolvido na produção e na popularização da gasolina com chumbo pode usar a desculpa de "ah, não, que surpresa horrível e inusitada".

A natureza tóxica do chumbo não era novidade — faz literalmente milhares de anos que sabemos disso. Antes das primeiras bombas de gasolina começarem a fornecer o novo aditivo, no começo de 1923, médicos especialistas avisaram que aquela era uma ideia muito, muito ruim. William Clark, do Departamento de Saúde Pública dos Estados Unidos, disse em uma carta que o uso de chumbo tetraetila era "uma ameaça séria à saúde pública" e previu — com absoluta razão — que "em vias movimentadas, é bem provável que a poeira do monóxido de chumbo permaneça na baixa atmosfera".

Em 1924, fazendo outra terrível e correta previsão, um toxicologista renomado alertou que "a intoxicação por chumbo se desenvolverá de forma tão sorrateira que a gasolina aditivada será usada no mundo todo... antes de o público e o governo se darem conta da situação".

A questão é que o chumbo não era a única solução disponível. Nos anos após sua experiência com o iodo, a equipe de Midgley encontrou *vários* agentes aditivos eficientes. Um deles era de uma simplicidade impressionante: o etanol. Um combustível viável por si só, o álcool não serve apenas para esterilizar feridas e temporariamente afogar nossas mágoas, mas também funciona bem como um aditivo antidetonante — com o benefício adicional de ser extremamente barato e fácil de produzir em grande escala.

Na verdade, a equipe de Midgley passou anos insistindo que o etanol seria a solução perfeita para a detonação dos motores. Então, por que eles abandonaram a ideia e apoiaram o uso de uma substância que todo mundo sabia ser extremamente tóxica? Você vai ficar surpreso ao descobrir que o motivo foi... dinheiro.

O problema era que o etanol era barato e fácil *demais* de produzir. E, mais importante, não poderia ser patenteado. A empresa de Charles Kettering, a Delco, fora comprada pela gigante General Motors em 1918, e sua equipe de pesquisa estava sendo pressionada para mostrar que poderia gerar lucro e que não estava apenas fazendo experiências otimistas. O etanol — uma substância tão fácil de produzir que as pessoas poderiam fazê-lo em casa e, portanto, impossível de se tornar um produto exclusivo — era inútil para tal propósito. Então, o chumbo foi escolhido.

Caso você esteja pensando que o pobre Thomas Midgley era apenas um inventor inofensivo cujo trabalho foi usado erroneamente por plutocratas malvados: não. Na verdade, foi ele quem sugeriu e defendeu o uso do chumbo. Ele até fez as contas, calculando que poderiam cobrar três centavos extras por galão do combustível aditivado, prevendo que conseguiriam dominar vinte por cento do mercado da gasolina com uma campanha publicitária intensa. Nesse ponto, assim como em vários outros, ele se enganou ao subestimar o impacto do seu trabalho: em apenas uma década, a gasolina com chumbo tetraetila — sob o nome Ethyl, evitando mencionar a parte do chumbo de forma proposital — capturou oitenta por cento do mercado americano.

A General Motors e Midgley faziam questão de frisar que o produto era seguro, apesar de vários "sinais de alerta", por assim dizer. Como o fato de que, em fevereiro de 1923, quando o Ethyl começou a ser comercializado, o próprio Midgley teve que tirar um mês inteiro de licença do trabalho por ter passado mal com a fumaça do chumbo. Ou como o fato de que os funcionários das fábricas que produziam o combustível estarem morrendo no trabalho. Cinco faleceram por intoxicação por chumbo na fábrica Bayway, em Nova Jersey, e trinta e cinco foram hospitalizados, muitos enlouquecendo devido aos efeitos neurológicos da substância — "o paciente se torna violento e maníaco, gritando, pulando da cama, quebrando móveis e agindo como se estivesse em *delirium tremens*", segundo um relatório. Seis trabalhadores morreram na fábrica Deepwater de Nova Jersey, onde as alucinações causadas pelo chumbo eram tão comuns que os funcionários a batizaram de "Casa do Chilique". As mortes foram matéria de capa do *The New York Times*. Diante de uma crise de relações públicas, a venda do Ethyl foi suspensa, e o Cirurgião-Geral dos Estados Unidos* logo montou um comitê para determinar sua segurança.

E aí, em uma extraordinária luta corporativa que serviria de modelo para um monte de indústrias que foderam com tudo pelo restante do século XX, as empresas por trás da Ethyl Gasoline Corporation — a General Motors, a Standard Oil e a gigante da química DuPont — conseguiram transformar uma crise publicitária em vitória.

---

* Maior autoridade da saúde pública dos Estados Unidos. [N. da E.]

Foi um exemplo clássico de pessoas responsáveis respondendo à pergunta errada. O foco da preocupação pública sobre as mortes na produção foi tão intenso que, no final das contas, aquela foi a única questão para a qual o comitê do Cirurgião-Geral procurou uma resposta. Persuadido pelas garantias das companhias de que tomariam medidas para aumentar a segurança das fábricas — o chumbo tetraetila, disse Midgley em depoimento, "era mais um veneno traiçoeiro do que um veneno perigoso" —, o comitê decidiu não proibir sua produção. O maior problema, que era o seu efeito no público que respiraria a fumaça da exaustão, nunca foi discutido: isso seria, para variar, uma questão para pesquisas futuras. A decisão do comitê, entretanto, foi anunciada para o público e para os políticos como uma garantia de que o produto era seguro para a saúde.

Caso você esteja se perguntando sobre as "pesquisas futuras", nas quatro décadas seguintes, quase todas foram patrocinadas pelas empresas que produziam a gasolina com chumbo ou conduzidas por seus funcionários. E, para a nossa surpresa, elas foram inconclusivas! Era só disso que os produtores do CTE precisavam para argumentar que a questão permanecia indeterminada e que seria muito ruim e muito errado parar de vender aquele combustível maravilhoso que permitia a realização de tantos sonhos.

Como a gasolina com chumbo já tinha sido supostamente liberada uma vez, o céu era o limite. Ela não apenas impedia a detonação, como também permitia o desenvolvimento de uma nova geração de motores mais potentes, fazendo com que os carros deixassem de ser máquinas práticas (mas barulhentas e desagradáveis) e se transformassem em objetos de desejo rápidos, reluzentes e bonitos. Uma intensa campanha de publicidade alimentava os medos de você ter um carro velho e ruim se não usasse o combustível com chumbo; produtos rivais, incluindo os que usavam etanol — a mesma substância que a equipe de Midgley passara anos defendendo — eram ridicularizados e tratados como inferiores. Quando outros países questionaram a segurança do CTE antes de introduzirem o aditivo em seus mercados, o fato de os americanos dizerem que estava tudo bem foi usado para aplacar essas dúvidas; o Cirurgião-Geral, Hugh Cumming, até entrou em contato com os colegas do exterior para explicar como a substância era segura.

Apoiada por dados científicos extremamente inexatos, pelo desejo predador de ganhar dinheiro e pelo fato de que carros potentes são maneiros e permitem viagens mais distantes, a gasolina com chumbo se tornou padrão no mundo inteiro. Graças a avanços na extração de petróleo, a suposta escassez de combustível que impulsionara a pesquisa sobre agentes antidetonantes nunca ocorreu, então todos os benefícios do chumbo foram voltados para a produção de motores ainda mais poderosos. A era do automóvel tinha chegado, e cada vez mais pessoas inalavam chumbo ao redor do mundo.

O problema com o chumbo é que ele não se dissipa. Enquanto algumas toxinas se tornam menos perigosas com o tempo, o chumbo se acumula — no ar, no solo, nos corpos de plantas, animais, pessoas. Em 1983, um relatório da Comissão Real sobre Poluição Ambiental do Reino Unido concluiu que "é improvável que exista qualquer parte da superfície da Terra ou forma de vida que não tenha sido contaminada pelo chumbo antropogênico". As crianças são as mais afetadas, porque seus sistemas absorvem cinco vezes mais chumbo que os de adultos. Só nos Estados Unidos, estima-se que setenta bilhões de crianças apresentaram níveis tóxicos de chumbo no sangue entre as décadas de 1920 e 1970.

Os efeitos da substância são graves. A Organização Mundial de Saúde calcula que centenas de milhares de pessoas morrem anualmente no mundo todo por doenças relacionadas à intoxicação por chumbo, como problemas cardíacos. Além dos efeitos na saúde física, o chumbo também prejudica o desenvolvimento neurológico das crianças — ele causa uma queda no QI entre a população afetada, e avalia-se que seja a causa por trás de mais de doze por cento das deficiências intelectuais no mundo.

O chumbo também causa problemas comportamentais, como o comportamento antissocial, por exemplo, que abriu a porta para uma das piores consequências do trabalho de Thomas Midgley Jr. É importante deixar claro que isso é, até o momento, somente uma hipótese não comprovada, mas vários pesquisadores associam o aumento nas taxas de criminalidade em boa parte do planeta, no período pós-guerra, com o crescimento equivalente da poluição de chumbo.

As taxas de criminalidade que causaram muitas de nossas presunções culturais básicas — adolescentes selvagens, o inferno que são os centros das cidades e toda aquela conversa dos anos 1990 sobre "superpredadores" — são, na verdade, uma anomalia histórica, um momento problemático global que é difícil de explicar e que agora parece ter ficado no passado (tomara). Porém, em vários países, independentemente de condições sociais ou orientações políticas, os crimes começaram a aumentar duas décadas depois da introdução da gasolina com chumbo no local — em outras palavras, quando as primeiras crianças expostas a grandes quantidades chegavam à adolescência ou estavam com vinte e poucos anos. E a correlação também pode ser aplicada na direção oposta: em boa parte do mundo, os crimes violentos diminuíram nas últimas décadas, novamente sem importar as políticas sociais implementadas em cada lugar. Mas a queda nas taxas de criminalidade só parece ocorrer cerca de duas décadas após a proibição da gasolina com chumbo em cada área específica — acontecendo mais cedo em lugares que proibiram o chumbo antes, e mais rápido nos países que interromperam o uso de forma abrupta em vez de o retirarem do mercado aos poucos.

Só para reiterar, a correlação não indica causalidade, e isso não é nada além de especulação. Considerando os problemas éticos que você enfrentaria se tentasse injetar chumbo em um monte de crianças para, então, esperar para ver quantos crimes elas cometeriam dentro de vinte anos, é bem provável que a gente nunca prove essa teoria. Porém, além das possíveis milhões de mortes, do fato de que poluímos cada centímetro do planeta e do conhecimento de que várias gerações de crianças tinham um veneno no sangue que afetou sua inteligência (essas gerações, aliás, estão MANDANDO NO MUNDO HÁ QUARENTA ANOS), a possibilidade de que causamos uma onda global de crimes que durou décadas e mudou completamente nossa visão da sociedade, apenas porque Thomas Midgley queria ganhar mais três centavos por galão, é... Bem, é uma piada muito longa e muito tensa.

O próprio Midgley não ficou de bobeira depois de inventar a gasolina com chumbo. Preferindo se manter sempre ocupado, ele logo passou para outras áreas de investigação — e cometeu seu segundo erro catastrófico.

Ao contrário da extensa pesquisa para encontrar um combustível melhor, a ideia surgiu bem rápido. Na verdade, de acordo com lendas corporativas, Midgley só precisou de três dias para encontrar uma solução para o problema proposto. E, ao contrário do chumbo, esse foi realmente um caso de consequências inesperadas: não houve avisos trágicos ignorados nem riscos encobertos. Ele apenas presumiu que, na ausência de qualquer prova do contrário, tudo ficaria bem.

Dessa vez, o problema diante de Midgley era saber como esfriar as coisas. O ano era 1928, pouco depois do início da era da refrigeração mecânica (antes disso, a indústria de coleta de gelo era bastante lucrativa, com enormes quantidades sendo raspadas e enviadas das partes mais frias do mundo, para que as pessoas nos locais mais quentes pudessem refrigerar o que quisessem). O inconveniente era que todas as substâncias sendo usadas para refrigeração eram (a) caras e (b) extremamente perigosas. Elas costumavam pegar fogo ou intoxicar um monte de gente quando vazavam — no ano seguinte ao que Midgley começou seu trabalho voltado para essa área, um vazamento de clorometano na refrigeração de um hospital de Cleveland matou mais de cem pessoas.

Como seria de se esperar, isso não estava colaborando para a adoção em larga escala da nova tecnologia.

O objetivo era simples: encontrar uma substância barata, não inflamável e não tóxica que funcionasse da mesma forma que os compostos refrigerantes da época. A General Motors havia comprado, recentemente, uma empresa de refrigeração, que rebatizara de Frigidaire, e sabia que, se conseguisse resolver o problema, ganharia uma grana.

A abordagem de Midgley foi menos aleatória dessa vez (afinal de contas, ele agora tinha mais de uma década de experiência trabalhando com química). Ao estudar as propriedades dos compostos refrigerantes conhecidos, ele logo identificou o flúor como um possível candidato, de preferência em um composto com carbono, para neutralizar seus efeitos tóxicos. E basicamente encontrou a solução de cara, já que uma das primeiras substâncias a serem testadas por sua equipe foi o diclorodifluorometano. Hoje em dia, ele é mais conhecido pelo nome comercial que recebeu: Freon.

Midgley demonstrou sua segurança diante de aclamações entusiasmadas em uma reunião da Sociedade Americana de Química, inalando de forma teatral o produto e soprando-o sobre uma vela para apagá-la. Perfeito. De fato, o cientista não apenas descobrira um novo composto, mas uma classe inteira deles, cujos elementos têm propriedades semelhantes. Eles ficaram conhecidos como clorofluorocarbonos — ou por sua abreviação mais comum, CFCs.

Infelizmente, no começo da década de 1930, ninguém entendia direito o que era a "camada de ozônio" nem como essa faixa fina de moléculas de oxigênio na estratosfera era importante para proteger a superfície da Terra dos perigosos raios ultravioletas do Sol. E as pessoas com certeza ignoravam que os CFCs, completamente inofensivos a nível do mar, se tornariam bem mais problemáticos quando chegassem à atmosfera terrestre, onde a tal radiação ultravioleta faria com que eles se fragmentassem em seus compostos — e que um desses elementos, o cloro, destruiria o ozônio, acabando com o escudo protetor do planeta.

Mas sejamos justos. Eles também não anteciparam que o uso de CFCs logo se expandiria para além da refrigeração. As pessoas rapidamente perceberam que esses novos elementos químicos, instigantes e extremamente seguros, tinham vários usos — especialmente como propulsor em aerossóis. Em uma ironia histórica sombriamente divertida, durante e após a Segunda Guerra Mundial, os CFCs eram muito usados para matar insetos, principalmente aquele outro caso clássico de burradas em grande escala do mundo da química, o DDT — o pesadelo que causava doenças congênitas.

Depois da guerra, o uso dos aerossóis decolou, e eles eram encontrados em tudo, desde tinta em spray a desodorantes. Mas também decolaram em um sentido mais literal: as grandes quantidades que liberávamos subiam para a estratosfera e destruíam a camada de ozônio.

A boa notícia aqui é que, dessa vez, a humanidade percebeu o problema antes de ele causar mortes em grande escala. Uhul! Ponto para os humanos! Na década de 1970 (quando as primeiras providências para acabar com o uso de gasolina com chumbo estavam sendo tomadas), o buraco cada vez maior na camada de ozônio também foi descoberto, assim como sua ligação com os CFCs. E aí veio o aviso: se o ozônio continuasse desaparecendo naquele ritmo, os humanos seriam cada vez mais expostos à prejudicial radiação UV, e, em questão de décadas, casos de câncer e cegueira dispararariam.

Assim, entre os anos 1970 e 1990, o mundo começou a desfazer o legado de Thomas Midgley, já que duas de suas maiores invenções foram proibidas ou retiradas do mercado na maioria dos países. Nós ainda temos que lidar com quantidades imensas de chumbo no meio ambiente — ele não se dispersa nem desaparece, e limpá-lo é um pesadelo. Mas a boa notícia é que, pelo menos na maioria dos lugares, as crianças não o inalam no ar tanto quanto antes, e a quantidade de chumbo no sangue de muitas delas agora está abaixo de níveis tóxicos. Oba. Enquanto isso, a camada de ozônio está se recuperando aos poucos, agora que os CFCs foram proibidos: se tudo der certo, ela deve voltar às suas condições pré-Midgley lá pela, err, década de 2050. *Muito bem, galera.*

E a reputação de Midgley está sacramentada: ele foi um "desastre natural na forma de homem", como descrito pela *New Scientist*; um sujeito que, nas palavras do historiador J.R. McNeill (em seu livro *Something New Under the Sun* [Algo novo na face da Terra, em tradução livre]), "teve mais impacto na atmosfera do que qualquer outro organismo na história do planeta".

Mas também é certo dizer que ele moldou o mundo moderno de formas inesperadas. O combustível antidetonante fez com que os carros se tornassem o principal meio de transporte em muitas partes do mundo e os estabeleceu não só como ferramentas, mas como objetos de status que se tornaram um símbolo potente da identidade pessoal e do individualismo. Os CFCs não apenas ajudaram na criação da geladeira da sua casa, mas também tornaram possível o ar-condicionado, sem o qual muitas das maiores cidades do mundo não existiriam da mesma maneira. Suas duas invenções até se uniram: veículos mais poderosos com aparelhos de ar-condicionado instalados tornaram viagens longas uma proposta mais realista — e até agradável. Grandes partes do oeste americano e do Oriente Médio, só para dar dois exemplos, provavelmente seriam lugares bem diferentes sem as criações de Thomas Midgley.

Também houve um efeito indireto na cultura geral — por exemplo, nos Estados Unidos, os cinemas foram um dos primeiros estabelecimentos a adotar o ar-condicionado, ajudando a aumentar a popularidade dos filmes como um momento de lazer durante a Grande Depressão, cimentando o impacto cultural da era dourada do cinema e transformando-o na principal forma de entretenimento do século XX. Basicamente, estou dizendo que Thomas Midgley inventou Los Angeles: uma cidade que funciona à base de carros e ar-condicionado e é lar de grande parte da produção cinematográfica do país.

Então, da próxima vez em que você sair de casa para assistir a um filme tosco de Hollywood sobre um policial que não segue as regras ao combater uma onda de crimes, lembre-se de que quase tudo nessa experiência foi causado pelo fato de que Thomas Midgley Jr. presumiu que os elementos químicos que ele descobriu seriam inofensivos e lhe renderiam três centavos a mais por galão.

SEIS CIENTISTAS QUE FORAM MORTOS PELA PRÓPRIA CIÊNCIA

Jesse William Lazear

O médico americano Jesse William Lazear provou, sem sombra de dúvidas, que a febre amarela era transmitida por mosquitos — ao permitir que um deles o picasse. Ele morreu, mostrando que sua teoria estava certa.

Franz Reichelt

Um confiante alfaiate franco-austríaco que, em 1912, tentou testar seu novo macacão paraquedas ao pular da Torre Eiffel enquanto o vestia (o combinado era usar um manequim). Ele deu de cara no chão e morreu.

Daniel Alcides Carrión García

O estudante de medicina peruano estava determinado a investigar a Doença de Carrión. É claro, o nome não era esse na época. Mas ela foi rebatizada quando ele injetou em si mesmo o sangue tirado das verrugas de uma vítima e morreu.

Edwin Katskee

Um médico que, em 1936, queria saber por que a cocaína — usada, na época, como anestésico — tinha efeitos colaterais negativos. Ele se injetou uma quantidade enorme, passou a noite toda escrevendo nas paredes do seu escritório em uma caligrafia que se tornou cada vez mais ilegível e então morreu.

Carl Wilhelm Scheele

Um genial químico sueco que descobriu muitos elementos — incluindo o oxigênio, o bário e o cloro —, mas que tinha o hábito de *provar* todas as suas descobertas. Ele morreu, em 1786, pela exposição a substâncias que incluíam chumbo, ácido fluorídrico e arsênico.

Clement Vallandigham

Advogado e pioneiro em um dos primeiros tipos de ciência forense. Ao defender um homem acusado de assassinato, ele provou que a suposta vítima poderia ter atirado em si mesma por acidente... ao atirar em si mesmo por acidente. Ele morreu, mas seu cliente foi inocentado.

10

Uma breve história sobre ser pego de surpresa

O mundo moderno é, sejamos sinceros, um lugar confuso.

Vivemos em uma era cujas mudanças tecnológicas e sociais acontecem a uma velocidade enlouquecedora. Transformações dramáticas em nosso estilo de vida podem acontecer no intervalo de uma geração ou de uma década, às vezes em menos de um ano. Tudo parece ser constantemente novo: ainda assim, ao mesmo tempo, é difícil nos livrarmos da sensação de que estamos apenas repetindo os erros do passado em um ritmo cada vez maior. De alguma forma, continuamos sendo pegos de surpresa.

Como foi dito lá no primeiro capítulo, nossa capacidade de prever o futuro e nos prepararmos para ele nunca foi maravilhosa, mas o ritmo acelerado das mudanças nos últimos séculos não ajudou muito nesse quesito. Quando estamos cercados por coisas novas, reluzentes e inesperadas o tempo todo, a heurística que usamos para tomar decisões é abalada. Quando somos bombardeados com cada vez mais informações, não é de admirar que fiquemos confusos com o excesso delas e acabarmos escolhendo as partes que confirmam as nossas preferências. Como podemos saber se somos vítimas do efeito Dunning-Kruger quando estamos constantemente tendo que aprender a fazer coisas novas?

Assim, vivemos em uma era de intermináveis primeiras vezes, a maioria nos pegando de surpresa por nossa própria ignorância — ou por ignorarmos as pessoas que nos alertaram sobre isso. E, infelizmente, nem todas essas primeiras vezes são boas. É só vermos o exemplo de Mary Ward.

Mary Ward foi pioneira em muitos sentidos. Ela nasceu em uma família aristocrática, no condado irlandês de Offaly, em 1827, mas sua criação não foi das mais comuns: desde muito jovem, ela vivia cercada por cientistas, fossem seus parentes ou visitantes em sua casa. Para a sorte de Mary, eles não só incentivavam seu interesse pela ciência, como também eram capazes de bancá-lo. Quando criança, ao ver seu fascínio pelo mundo natural, seus pais lhe deram um microscópio — o melhor do país, na época. Foi um presente certeiro, pois Mary acabou demonstrando um talento raro para desenhar as espécies que observava no aparelho. (Durante a adolescência, ela também desenhou o Leviatã de Parsonstown, um telescópio refletor enorme, de um metro e oitenta, construído por seu primo, o antigo presidente da Real Sociedade William Parsons, que manteria o recorde de maior telescópio do mundo até 1917.)

Conforme crescia, Mary se correspondia com vários cientistas, e seu talento para desenhar fez com que ela fosse contratada para ilustrar muitos dos livros deles. E então, em 1857, decepcionada com a qualidade das obras sobre microscopia no mercado, ela resolveu imprimir um livro com suas próprias criações. Achando (com razão) que ninguém estaria disposto a se associar ao trabalho de uma mulher, ela autopublicou duzentas e cinquenta cópias. Todas foram vendidas, e o livro chamou atenção de um editor, que acreditava que a beleza de suas ilustrações e a qualidade do texto significavam que (somente neste caso) talvez o problema do gênero dela pudesse ser ignorado. Publicada com o nome de *The World of Wonders as Revealed by the Microscope* [O mundo das maravilhas revelado pelo microscópio, em tradução livre], a obra se tornou uma sensação do mercado editorial — foi reimpressa oito vezes ao longo da década seguinte, tornando-se um dos primeiros livros da categoria que hoje chamaríamos de "ciência popular".

E ela não parou por aí — Mary escreveu mais dois livros do gênero que foram expostos no Palácio de Cristal, em 1862, incluindo uma sequência da obra sobre o microscópio, agora com foco no telescópio; ilustrou inúmeros trabalhos científicos para pesquisadores renomados; publicou artigos em vários periódicos, incluindo um estudo bem recebido sobre o sapo-corredor; e se tornou uma das únicas três mulheres que puderam participar da lista de discussões da Real Sociedade Astronômica — uma das outras duas era a rainha Vitória. Ela nunca teve um diploma, entretanto, porque as mulheres não podiam frequentar universidades.

Só que... tudo isso foi um prefácio, porque, apesar de Mary Ward ter sido uma mulher extraordinária com uma vida fascinante, não é por isso que nos lembramos dela hoje. Talvez devesse ser. Mas, por conta do que aconteceu em Parsonstown em 31 de agosto de 1869, não é. Nesse dia, aos 42 anos de idade, ela e seu marido, o capitão Henry Ward, estavam passeando em um automóvel movido a vapor. O veículo era uma produção caseira — ela vivia cercada de cientistas, então isso era óbvio —, criado pelos filhos de seu primo, William Parsons.

Andar de carro era uma experiência nova na época; um sinal das coisas que estavam por vir. O automóvel movido a vapor fora inventado um século antes, na França, mas ainda levaria anos para que surgisse algo parecido com os carros que conhecemos atualmente. Os veículos que existiam — estruturas pesadas e grosseiras, acusadas por muitos de estragar as estradas — causaram tamanha sensação que a Grã-Bretanha aprovara uma lei regulando seu uso alguns anos antes, em 1865, mas eles continuaram sendo novidades raras, experimentais. Dos bilhões e bilhões de humanos que já viveram neste planeta, Mary Ward fez parte da primeira fração da fração da fração de um por cento a andar de carro.

Os registros contam que o veículo atravessou a rua principal de Parsonstown na velocidade de cinco quilômetros e meio por hora e fez uma curva abrupta na esquina da Cumberland Street, perto da igreja. Talvez tenha sido só azar. Talvez a estrada fosse desigual, já que fora projetada somente para cavalos e carroças. Talvez ninguém tivesse se preocupado com o conceito de "curvas abruptas", porque carros e cavalos funcionam de formas muito diferentes, e os riscos não são os mesmos. Talvez Mary só estivesse empolgada com a experiência, animada com as possibilidades do futuro, e tenha se inclinado um pouco demais para ver a estrada passar por debaixo do carro.

Seja lá por que razão, conforme o veículo fez a curva, um lado dele se inclinou demais, e Mary foi jogada para fora do banco, parando embaixo das rodas. Seu pescoço quebrou, e ela teve uma morte quase instantânea.

Mary Ward foi a primeira pessoa do mundo a morrer em um acidente de carro.

Ela foi pioneira de muitas formas, mas nem sempre podemos escolher aquilo que desbravamos. Atualmente, estima-se que 1,3 milhões de pessoas por ano morram em acidentes de carro. O futuro continua sendo inconveniente e chegando mais rápido do que imaginamos, e nós continuamos lutando para prevê-lo.

Por exemplo, em 1825, o *Quarterly Review* previu que os trens não durariam muito. "O que pode ser mais absurdo do que o suposto prospecto de que locomotivas irão viajar duas vezes mais rápido que carruagens?", perguntava a matéria.

Alguns anos depois, em 1830, William Huskisson, membro do parlamento britânico e ex-ministro de Estado, estava presente na inauguração da ferrovia que ligava Liverpool e Manchester. Ele seguiria de uma cidade a outra em um trem com o duque de Wellington e vários outros dignitários. Em uma parada do meio do caminho para abastecer o motor com água, os passageiros receberam instruções de não saírem das cabines, mas não obedeceram. Huskisson decidiu que iria apertar a mão do duque — já que os dois tinham brigado —, e, por conta disso, estava parado na linha oposta quando o famoso Rocket de George Stephenson passou rapidamente na direção contrária. Os passageiros foram alertados para saírem do caminho da locomotiva que se aproximava, mas Huskisson, sem saber como agir naquela situação inusitada, entrou em pânico e não conseguiu decidir para onde ir. No fim das contas, em vez de simplesmente seguir os outros passageiros para o lado oposto da linha, ele tentou subir no vagão de Wellington, mas a porta em que desesperadamente tentava se segurar acabou abrindo, colocando-o no caminho do Rocket. E foi assim que William Huskisson acabou se tornando uma das primeiras pessoas na história a morrer por conta de um trem.

Em 1871, Alfred Nobel fez uma declaração sobre sua invenção da dinamite: "Talvez minhas fábricas acabem com as guerras antes dos seus congressos: no dia em que dois exércitos forem capazes de se aniquilarem mutuamente em um segundo, todas as nações civilizadas ficarão horrorizadas e se desfarão de suas tropas."

Em 1873, as bolsas de valores do mundo inteiro quebraram quando a bolha especulativa finalmente estourou. A depressão econômica mundial durou anos.

Menos de uma década depois de Nobel, em 1877, Richard Gatling, o inventor da metralhadora Gatling, disse em uma carta a um amigo que esperava que sua invenção trouxesse uma nova era de combates humanitários. Ele escreveu que se sentiu motivado a inventar o dispositivo depois de "testemunhar quase diariamente a partida de soldados para o front e o retorno dos feridos, doentes e mortos... Ocorreu-me que, se eu fosse capaz de inventar uma máquina — uma arma — que permitisse, através da rapidez de seus disparos, que um homem fizesse o trabalho de cem na batalha, isso tornaria desnecessário o uso de grandes exércitos e, por consequência, a exposição a guerras e doenças diminuiria bastante".

Também em 1877, Carl Orton, presidente da Western Union, se recusou a comprar os direitos do telefone de Alexander Graham Bell, perguntando: "Para que esta empresa usaria um brinquedo elétrico?"

Em 1888, um grupo missionário metodista em Chicago precisava de dinheiro e teve uma ideia descrita como "uma caixinha de doações itinerante" — foram enviadas mil e quinhentas cópias de uma carta que implorava aos remetentes que lhe enviassem um centavo ou mandassem uma cópia do texto para três amigos. O grupo ganhou mais de seis mil dólares, apesar de muita gente ficar irritada depois de receber a mensagem várias vezes. Era o nascimento das correntes.

Em 1897, lorde Kelvin, renomado cientista britânico, previu que "o rádio não tem futuro". Também em 1897, o *The New York Times* elogiou a invenção da Hiram Maxim, a metralhadora automática, dizendo que um objeto tão temível impediria novas guerras, chamando as armas de Maxim de "terrores que produzem e mantêm a paz", alegando que "devido aos seus efeitos devastadores, nações e líderes terão que pensar mais no resultado das guerras antes de decidirem participar de projetos de conquista".

Em 1902, lorde Kelvin, renomado cientista britânico, previu, em uma entrevista, que o voo transatlântico era impossível e que "nenhum balão e nenhuma aeronave serão bem-sucedidos". Os irmãos Wright realizaram seu primeiro voo dezoito meses depois. Como Orville Wright lembrou em uma carta de 1917: "Quando eu e meu irmão construímos e voamos na primeira máquina voadora que transportava homens, achamos que estávamos trazendo ao mundo uma invenção que tornaria outras guerras praticamente impossíveis. Não fomos os únicos a pensar assim, prova disso foi o fato de a Sociedade Francesa pela Paz nos presentear com medalhas por conta de nossa invenção."

Em 1908, o tenente Thomas Selfridge era o passageiro em uma demonstração de voo pilotada por Orville Wright. No quinto circuito ao redor de Fort Myer, na Virgínia, o propulsor quebrou e o avião caiu, matando Selfridge (Wright sobreviveu). Ele se tornou a primeira pessoa na história a morrer em um acidente aéreo.

Em 1912, Guglielmo Marconi, o inventor do rádio, previu que "a chegada da era sem fios impossibilitará as guerras, porque elas se tornarão ridículas". Em 1914, o mundo entrou em guerra.

Em 16 de outubro de 1929, Irving Fisher, renomado economista de Yale, previu que "os preços das ações alcançaram o que parece ser um platô alto e estável". Oito dias depois, as bolsas do mundo inteiro quebraram, quando a bolha especulativa alimentada por créditos facilmente adquiridos finalmente explodiu. A depressão econômica mundial durou anos; diante da crise financeira, os eleitores de muitas democracias passaram a apoiar políticos populistas autoritários.

Em 1932, Albert Einstein previu que "não existe qualquer indicação de que a energia nuclear se tornará acessível".

Em 1938, Neville Chamberlain, o primeiro-ministro britânico, voltou para casa com um acordo que acabara de assinar com Adolf Hitler, declarando que "acredito que isto significa paz para nossa era", antes de acrescentar: "Vão para casa e durmam tranquilos." Em 1939, o mundo entrou em guerra.

Em 1945, Robert Oppenheimer, o homem que liderou a produção da bomba atômica em Los Alamos, escreveu: "Se essa arma não persuadir os homens da necessidade de acabar com as guerras, nada que sair de um laboratório será capaz de fazer isso." Ao contrário do que ele esperava — e do que Nobel, Gatling, Maxim e Wright também —, as guerras continuam existindo, mas pelo menos ainda não passamos por um conflito nuclear (afirmativa correta no momento da elaboração do texto), então Oppenheimer talvez tenha acertado alguma coisa.

Em 1966, Richard Buckminster Fuller, renomado designer, previu que, até o ano 2000, "em meio à abundância generalizada, a política simplesmente vai deixar de existir".

Em 1971, os cosmonautas russos Georgi Dobrovolski, Viktor Patsayev e Vladislav Volkov se tornaram as primeiras pessoas a morrer no espaço, voltando da estação espacial depois que sua nave, Soyuz, perdeu a compressão.

Em 1977, Ken Olson, presidente da Digital Equipment Corporation, previu que o mercado da informática nunca cresceria, dizendo que "não há motivo para qualquer indivíduo ter um computador em casa". Em 1978, Gary Thuerk, gerente de marketing da Digital Equipment Corporation, anunciou os produtos da empresa em um e-mail não requisitado para cerca de quatrocentas pessoas no Arpanet, uma das primeiras manifestações da internet. Ele tinha acabado de mandar o primeiro spam da história. (E, de acordo com ele, deu certo: a DEC vendeu milhões de dólares em máquinas por causa da campanha virtual.)

Em 1979, Robert Williams, funcionário de uma fábrica da Ford em Michigan, se tornou a primeira pessoa a ser morta por um robô.

Em dezembro de 2007, Larry Kudlow, analista financeiro, escreveu no *National Review*: "Não existe nenhuma recessão a caminho. Os pessimistas estão errados. Nada disso vai acontecer... O *boom* do governo Bush continua firme. Sim, essa ainda é a melhor história não contada." Em dezembro de 2007, a economia americana entrou em recessão. (No momento em que escrevo isto, Larry Kudlow é o diretor do Conselho Econômico Nacional dos Estados Unidos.) Em 2008, as bolsas do mundo inteiro quebraram, quando a bolha especulativa alimentada por créditos facilmente adquiridos finalmente explodiu. A depressão econômica mundial durou anos; diante da crise financeira, os eleitores de muitas democracias passaram a apoiar políticos populistas autoritários.

Em agosto de 2016, um menino de 12 anos morreu — e pelo menos mais vinte pessoas de um grupo nômade de pastores de renas foram hospitalizadas — depois de um surto de antraz na Península de Yamal, na Sibéria. Fazia setenta e cinco anos que ninguém era contaminado por antraz na região; o surto aconteceu durante uma onda de calor no verão, na qual as temperaturas ficaram vinte e cinco graus Celsius mais altas que o normal. A camada grossa de terra congelada que cobre a Sibéria derreteu, revelando e descongelando camadas de gelo formadas décadas antes — e que escondiam as carcaças das renas que morreram no último surto da doença, em 1941.

O gelo é capaz de preservar patógenos — de mantê-los vivos, mas estagnados — por décadas, séculos, e talvez até mais. O antraz ficara adormecido sob as temperaturas abaixo de zero desde a época em que o inverno russo derrotava o exército de Hitler, só esperando pelo momento em que sua jaula de gelo derreteria. Isso aconteceu em 2016 (no momento, o ano mais quente no mundo todo desde que começaram a ser feitos registros), quando o planeta aquecido finalmente liberou a bactéria, infectando mais de duas mil renas antes de ser transmitida para humanos.

É tentador dizer que ninguém poderia ter previsto um desastre tão rebuscado, mas, na verdade, cinco anos antes, dois cientistas afirmaram que seria exatamente isso que aconteceria caso o aquecimento global piorasse: a terra congelada derreteria aos poucos, liberando doenças históricas há muito desaparecidas. Enquanto a temperatura aumentar, isso continuará acontecendo, com o efeito curioso de rebobinar a história — passando por Thomas Midgley trabalhando muito em seu laboratório, por Eugene Schieffelin abrindo gaiolas em um parque, por William Paterson sonhando com um império — à medida que os efeitos cumulativos da Revolução Industrial nos assolam. Não sabemos quantas pessoas serão mortas pela mudança climática no século que se inicia, não sabemos de que forma ela mudará nossa sociedade, mas sabemos que pelo menos uma das vítimas faleceu porque uma consequência inesperada de nossas decisões enquanto espécie foi tirar um antraz zumbi do seu túmulo. E ele provavelmente não será o único.

Em 7 de maio de 2016 — pouco mais de um século e meio após Mary Ward sair para passear de carro naquela fatídica manhã de verão — um homem chamado Joshua Brown dirigia seu Model S da Tesla em uma estrada perto de Williston, Flórida, no piloto automático. Uma investigação posterior mostrou que, durante os trinta e sete minutos da viagem, ele só passou vinte e cinco segundos com as mãos no volante; Brown usou o software do carro para controlar o veículo pelo resto do tempo. Quando um caminhão entrou na estrada, nem o motorista nem o software o detectaram, e o carro bateu de frente com ele.

Joshua Brown se tornou a primeira pessoa na história do mundo a morrer em um acidente de carro autônomo.

Sejam bem-vindos ao futuro.

Epílogo

Fodendo com o futuro

Em abril de 2018, um acordo foi anunciado para reabrir uma usina termoelétrica a carvão, na Austrália, que estava desativada. Isso foi estranho por motivos óbvios — enquanto o mundo tenta aos poucos se afastar de combustíveis fósseis que causam mudanças climáticas, a reabertura de uma usina a carvão é uma decisão controversa —, mas o motivo por trás dessa ação era ainda mais esquisito. A termoelétrica forneceria energia barata para uma empresa que trabalha com mineração de criptomoedas.

O Bitcoin é a mais famosa delas, mas existe todo um ecossistema em constante expansão conforme as empresas lançam novas opções em uma taxa aparentemente exponencial, esperando lucrar com a ânsia do público por dinheiro digital. Essas moedas não são extraídas de "minas", como acontece com o ouro, por exemplo. Elas são apenas pedaços de código-fonte, a maioria baseada em uma tecnologia chamada blockchain, na qual cada moeda virtual não é apenas um item de valor simbólico, mas também um livro-razão de sua própria história de transições. A potência computacional necessária para criá-las e processar seus registros cada vez mais complicados é alta — e, assim, absorve eletricidade em um ritmo enlouquecido, tanto para a execução dos centros de dados dedicados à criptomineração cada vez maiores quanto para esfriá-los quando esquentam demais.

As criptomoedas não têm valor intrínseco algum, além de propositalmente não serem reguladas por nenhum tipo de autoridade central que controle seu fluxo. O único fator limitante é o custo dos computadores necessários para criá-las e trocá-las. Mas a crença entre algumas pessoas de que elas são a moeda do futuro fez com que muitas aumentassem de valor, já que todo mundo concorda que valem alguma coisa — ou, no mínimo, que logo vai aparecer outro idiota que acredita que elas valem mais do que você acha, até eles pararem de aparecer. Então, seu valor se tornou extremamente volátil, dependendo apenas dos humores do mercado. É um surto financeiro clássico, com bolhas se formando e explodindo, enquanto todo mundo tenta não ser a pessoa em pé quando a música parar.

Porém, como a maioria dos surtos, isso tem consequências no mundo real. Não é apenas o fato de que a Austrália resolveu reabrir uma usina: no interior do oeste americano, cento e setenta anos depois da febre do ouro que levou as pessoas para lá aos montes, tentadas pela ideia de enriquecer do dia para a noite, existe outra febre acontecendo. Atraídas pela energia barata, por aluguéis baixos e pelo espaço livre para construir, as empresas de criptomoedas estão investindo milhões para criar criptominas enormes e famintas por energia em cidadezinhas do interior de Washington, Montana, Nevada e outros estados. Moradores de uma cidade em que esses exploradores do século XXI se instalaram reclamam que o ronco dos motores vinte e quatro horas por dia não deixa ninguém dormir, afetando a saúde da população e afastando a fauna local.

É estimado que, no fim de 2018, a mineração de Bitcoin estará usando tanta energia quanto a Áustria inteira.

Este livro falou de fracassos e erros que cometemos no passado. Mas e os que estamos cometendo agora? E os que virão nos próximos anos? Como vamos foder com tudo no futuro?

Fazer previsões é, como já notamos, o jeito certo de parecer idiota para os historiadores que estão por vir. Talvez as próximas décadas e séculos testemunhem a humanidade cometendo uma variedade de erros completamente novos; talvez a gente consiga até parar de cometê-los. Porém, se você quiser apostar dinheiro nisso, acho que seria mais sensato ficar com a opção de que provavelmente continuaremos fazendo as mesmas burradas do passado.

Vamos começar com o óbvio, então.

De todas as coisas que despejamos no meio ambiente sem nem pestanejar, alegando que, poxa, vai dar tudo certo, é o carbono que adoramos queimar desde o começo da Revolução Industrial e que vai estragar a diversão de todo mundo.

A tal mudança climática causada pelo homem é real e tem o potencial de ameaçar a existência de várias comunidades no mundo e muitos aspectos da civilização, e a essa altura ela está tão bem estabelecida como fato científico que parece meio banal ficar apontando as evidências de sua existência. Já passamos do ponto em que essa história poderia se mostrar a nova poliágua ou os novos raios N, fazendo todo mundo morrer de vergonha daqui a alguns anos. E, mesmo assim, ainda existem várias pessoas com motivos para negar o aquecimento global — motivos financeiros, políticos, a alegria pura e maliciosa de ser um babaca do contra —, e voltamos à etapa do "vamos discutir se isso é verdade mesmo" sempre que estamos prestes a fazer um progresso na fase do "vamos resolver o problema". É basicamente a estratégia que os produtores da gasolina com chumbo usaram no passado: não é preciso provar que algo está errado, só alegar que o assunto ainda está sendo analisado por tempo suficiente para você ficar bem rico.

Então, estamos fazendo a versão coletiva do "lálálálálá não estou escutando", quando devíamos estar correndo, em pânico, como se nossa casa estivesse pegando fogo, porque... é tipo isso. Dezessete dos dezoito anos mais quentes registrados aconteceram desde a virada do ano 2000. Pela primeira vez em nossa era geológica, em abril de 2018, o nível de dióxido de carbono na atmosfera ultrapassou o limite de quatrocentas e dez partes por milhão. A última vez em que ele esteve tão alto foi durante o período quente do Plistoceno, cerca de 3,2 milhões de anos atrás — bem na época em que Lucy caiu de sua árvore. Caso você esteja pensando que "se já esteve tão quente assim antes, então não deve ser tão ruim", os níveis do mar eram dezoito metros mais altos nesse período do que são agora.

Ah, e a mudança climática não é a única consequência do dióxido de carbono. Na verdade, uma das coisas que limitam a quantidade de CO_2 na atmosfera é o oceano, que absorve uma parte dele. Boa notícia, né? Não. A água do oceano, assim como um vestidinho preto, é bem básica — em outras palavras, ela tende a ser mais alcalina do que ácida. A absorção de tanto CO_2, porém, aumenta sua acidez, e quanto mais ácido o oceano fica, maior é o efeito na vida marinha, de moluscos minúsculos a peixes enormes.

Ah, e isso piora se ocorre enquanto a temperatura dos oceanos aumenta. Coisa que está acontecendo. Se você quiser um exemplo de como a situação está complicada na água, a Grande Barreira de Coral — uma das *verdadeiras maravilhas* do *verdadeiro mundo natural* — está morrendo em um ritmo alarmante, com dois anos seguidos de grandes eventos de "branqueamento" que matam corais em áreas extensas dos recifes.

Gente... acho que fizemos merda.

É claro, essa não é a única tragédia que estamos euforicamente determinados a causar. A gente tem opções, galera. Por exemplo: em maio de 2018, foi anunciado que cientistas detectaram um aumento intenso de emissões de clorofluorocarbonos. Em algum lugar no mundo, provavelmente na Ásia, alguém voltou a produzir a invenção supostamente proibida de Thomas Midgley. Isso pode atrasar a recuperação da camada de ozônio em uma década. Bom trabalho no quesito "aprender com seus erros", pessoal.

Ou vejamos a resistência aos antibióticos. Os antibióticos, e outros medicamentos antimicrobianos, foram um dos melhores avanços do século XX, salvando inúmeras vidas. Porém, assim como os habitantes da Ilha de Páscoa cortando as próprias árvores, nós os usamos demais, com muita frequência. O problema é que, toda vez que você toma um antibiótico, aumenta as chances de um desses micróbios se tornar resistente ao remédio — e aí, você só está matando a competição dele. É uma evolução acelerada enquanto nossas ações desenvolvem novos tipos de superbactérias resistentes a antibióticos que têm o potencial de trazer todas as velhas doenças terríveis da história de volta (e a tundra nem precisa derreter para isso).

Por isso, o mundo está ficando sem antibióticos eficazes — e parte do problema é que eles simplesmente não são lucrativos o suficiente para que as indústrias farmacêuticas invistam seus recursos necessários para a criação de novos remédios. Estima-se que cerca de setecentas mil pessoas já morram por ano devido a doenças com resistência antibiótica.

Ou talvez nossa ruína seja causada porque terceirizamos nossas decisões para a inteligência artificial, na esperança de que isso, de alguma forma, as torne melhores e mais sábias, nos isentando da culpa quando as coisas derem errado. Os algoritmos que controlam carros autônomos são apenas um exemplo: em algum lugar, eles estão decidindo quais ações comprar e vender, quais notícias veremos em nossas redes sociais e qual a probabilidade de um condenado por um crime cometê-lo de novo. Gostamos de pensar que esses códigos são mais racionais que os humanos; na realidade, é bem provável que eles apenas amplifiquem todas as presunções errôneas com os quais os alimentamos.

O problema de terceirizar nossas decisões para computadores não para por aí, conforme as pesquisas sobre inteligência artificial progridem em um ritmo acelerado. O medo é que, se conseguirmos criar uma IA bem mais inteligente e capaz que os seres humanos, talvez cometamos o erro de acreditar que ela está do nosso lado. A inteligência artificial poderá nos manipular para seus próprios interesses, nos ver como uma ameaça e nos destruir — ou simplesmente não reconhecer que os humanos são importantes, e aí nós vamos virar mão de obra para seu objetivo de criar o máximo de clipes de papel possível (ou seja lá qual for a tarefa que determinemos para ela). A ideia de darmos uma de Frankenstein e depois desaparecermos parece remota, mas um número preocupante de pessoas aparentemente inteligentes parece estar levando essa possibilidade muito a sério.

Ou talvez a gente se exploda em uma guerra nuclear antes de isso tudo acontecer.

Ou quem sabe a burrada não será tão dramática assim. Pode ser que nossa preguiça acabe nos condenando a um futuro horroroso sem fazer muito estardalhaço. Desde que atravessamos a barreira chata da Terra e entramos na era espacial, nossa abordagem diante de coisas que não precisamos mais no espaço tem sido basicamente a mesma que temos em relação a todas as outras porcarias que criamos: jogamos tudo fora. Afinal de contas, o universo é enorme, então que diferença faz?

É aí que entra a síndrome de Kessler. Ela foi uma previsão de Donald Kessler, cientista da NASA, em 1978, mas não nos impediu de continuar largando coisas no espaço. O problema é que, quando você abandona as coisas na órbita, elas não vão a lugar algum. Não é igual a jogar um pacote de biscoito pela janela do carro e imediatamente se esquecer dele — o lixo espacial permanece lá na mesma velocidade e trajetória daquilo que o descartou. E, às vezes, ele colide com outros lixos.

E isso é complicado, porque a velocidade dos objetos em órbita torna as colisões extremamente destrutivas. Um único impacto contra um material minúsculo pode ser catastrófico, destruindo satélites ou estações espaciais. E essas colisões mortais produzem, você já sabe, milhares e milhares de outros pedaços de lixo espacial, que causam mais colisões. Foi isso que Donald Kessler previu: com o tempo, o espaço vai se tornar tão lotado que esse processo chegará em um momento crítico, em que todo impacto gera mais impactos, até que nosso planeta esteja cercado por uma nuvem de mísseis de lixo em alta velocidade. O resultado: satélites se tornarão inúteis e lançamentos no espaço se tornarão um risco mortal. Nós ficaremos presos na Terra de verdade.

De certa forma, esse seria um jeito estranhamente poético de encerrar a jornada que Lucy nem chegou a começar há tantos milhões de anos. Todas as explorações, progressos, sonhos e noções de grandeza, e é assim que acabamos: confinados no planeta por uma prisão que criamos com o nosso próprio lixo.

Independentemente do que nos aguarda no futuro ou das surpreendentes mudanças que ocorram no próximo ano, na próxima década ou no próximo século, é provável que a gente continue fazendo as mesmas coisas. Vamos culpar outras pessoas por nossos problemas e criar mundos fantásticos e elaborados para não termos que encarar nossos pecados. Vamos nos voltar para líderes populistas após crises econômicas. Vamos fazer de tudo por dinheiro. Vamos sucumbir ao pensamento de grupo, a surtos, ao viés de confirmação. Vamos dizer a nós mesmos que nossos planos são ótimos e que nada vai dar errado.

Ou... talvez não? Talvez este seja o momento na história em que mudaremos e começaremos a aprender com o passado. Talvez tudo isso seja apenas pessimismo, e não importa quanto o mundo de hoje pareça burro e deprimente, a humanidade está, de fato, se tornando mais sábia e informada, e temos sorte de estarmos vivos na aurora de uma nova era em que não fodemos com tudo. Talvez tenhamos mesmo a capacidade de nos tornarmos melhores.

Talvez, um dia, subiremos em uma árvore e não cairemos.

Agradecimentos

Eu não teria conseguido escrever este livro sem a ajuda de muitas pessoas. Em primeiro lugar, preciso agradecer ao meu agente, Antony Topping, porque, sem ele, eu literalmente jamais teria escrito nada. Foi um prazer trabalhar com Alex Clarke, Kate Stephenson, Ella Gordon, Becky Hunter, Robert Chilver e toda a equipe da Headline — e me desculpem pelos prazos. Também quero agradecer a Will Moy e ao pessoal maravilhoso da Full Fact por, entre outras coisas, esperarem por tanto tempo.

Minha família — meus pais, Don e Colette, meu irmão Ben, que é historiador de verdade — me apoiaram o tempo todo. Hannah Jewell ajudou com inspirações de livros engraçados de história, observações e nossa visão compartilhada sobre fantasmas. Kate Arkless-Gray ofereceu conselhos sagazes, um ouvido amigo e, mais importante, uma ótima oportunidade de *house sitting*. Maha Atal e Chris Applegate ajudaram com discussões estimulantes e várias sugestões, assim como Nicky Reeves. Também preciso agradecer aos historiadores do Twitter por serem sempre ótimos e solícitos; em especial, obrigado a Greg Jenner (que eu mais ou menos citei no Prólogo) e Fern Riddell; por favor, comprem os livros deles também. Vou continuar acrescentando pessoas para parecer que tenho muitos amigos. Damian e Holly Kahya, James Ball, Rose Buchanan, Amna Saleem e muitos outros me ajudaram com palavras sábias e cerveja. Ficar esbarrando com Kelly Oakes várias vezes durante as etapas finais da escrita foi exatamente o incentivo de que eu precisava para seguir em frente.

Também quero agradecer a Tom Chivers pelo almoço que nunca fomos, desculpe por isso. A banda CHVRCHES lançou um álbum ótimo durante meu processo de escrita; estou os incluindo nesta seção na esperança de que alguém só passe os olhos em busca de nomes, sem ler o contexto, e ache que minha vida é bem mais glamorosa do que parece. Sendo assim, também quero agradecer a Beyoncé, Cate Blanchett e ao fantasma de David Bowie.

Nem preciso dizer que quaisquer erros neste livro são apenas meus e de mais ninguém. Exceto o fantasma de David Bowie.

Recomendações de leitura

Preciso citar vários livros por ter me baseado bastante neles em certas partes desta obra. (Alguns já foram mencionados no texto.) Todos merecem ser lidos para um aprofundamento maior nas questões e nos eventos que o espaço desta publicação só me permitiu mencionar por alto.

Rápido e devagar: duas formas de pensar, de Daniel Kahneman, é citado na seção sobre estranhezas cognitivas e é a base de boa parte de nossa compreensão sobre o funcionamento da mente. Ao mesmo tempo, *A Colorful History of Popular Delusions* [Uma história pitoresca de ilusões populares, em tradução livre], de Robert E. Bartholomew, é uma ótima leitura sobre manias, loucuras, modas e pânicos.

Colapso, de Jared Diamond, também é mencionado no texto e forneceu informações cruciais para a seção sobre a Ilha de Páscoa (e sua influência fica clara em todo aquele trecho).

Adolf Hitler. Os anos de ascensão. 1889-1939 - Volume 1, de Volker Ullrich, foi fonte de boa parte do material sobre Hitler (e fãs de subtweets literários elegantes também reconhecerão o conceito central da resenha espetacular de Michiko Kakutani sobre esse mesmo livro.)

Outro volume que foi mencionado algumas vezes no texto é *The Price of Scotland: Daren, Union and the Wealth of Nations* [O preço da Escócia: Dárien, a união e a riqueza das nações, em tradução livre], de Douglas Watt, que desvendou de forma perspicaz e meticulosa a estupidez de William Paterson.

Genghis Khan: The Man Who Conquered the World [Gengis Khan: o homem que conquistou o mundo, em tradução livre], de Frank McLynn, e *Gengis Khan e a formação do mundo moderno*, de Jack Weatherford, foram importantes para a seção sobre a Corásmia.

Também quero mencionar dois livros que seguiram caminhos parecidos antes deste: *100 Mistakes that Changed History: Backfires and Blunders That Collapsed Empires, Crashed Economies, and Altered the Course of Our World* [Cem erros que mudaram a história: burradas e mancadas que derrubaram impérios, destruíram economias e alteraram o rumo do nosso mundo], de Bill Fawcett, e *The Mammoth Book of Losers* [O grande livro dos perdedores], de Karl Shaw, que são leituras maravilhosas e me apresentaram a várias idiotices diferentes que antes me eram desconhecidas.

Este livro foi composto na tipografia Joanna
MT Std, em corpo 11/16, e impresso em
papel off-white no Sistema Cameron da
Divisão Gráfica da Distribuidora Record.